EBERHARD JÜNGEL · TOD

THEMEN DER THEOLOGIE

HERAUSGEGEBEN
VON HANS JÜRGEN SCHULTZ

BAND 8

EBERHARD JÜNGEL

TOD

KREUZ-VERLAG STUTTGART · BERLIN

Siegfried Ringhandt
Kurt Scharf
PASTORIBUS PASTORUM

2. AUFLAGE (11.—13. TAUSEND) 1972
© KREUZ-VERLAG STUTTGART 1971
GESTALTUNG: HANS HUG
GESAMTHERSTELLUNG:
VERLAGSDRUCKEREI E. RIEDER, SCHROBENHAUSEN
ISBN 3 7831 0343 6

INHALT

VORWORT

Daß in der Reihe der »Themen der Theologie« dieser Band über den Tod nach dem über die Auferstehung erscheint, ist sachlich ganz in Ordnung. Man kann den Tod nicht aus ihm selbst erkennen. Der Tod ist stumm. Und macht stumm. Soll man über ihn reden können, muß das Wort dazu von weiter her kommen. Der christliche Glaube beansprucht, ein solches »Wort von weiter her« gehört zu haben. Ja er lebt davon. Deshalb fragt er mit Hilfe dieses Wortes, das mit gutem Grund Gottes Wort genannt zu werden verdient, nach dem Tod.

Dieses Büchlein ist der Versuch, die Frage nach dem Tod so zu stellen, daß eine Antwort des Glaubens möglich wird. Die Gefahr, mit erbaulichen Redensarten über die Härte der Unausweichlichkeit unseres Todes und über den Schmerz, den der Tod eines anderen Menschen uns zufügt, hinwegzutrösten, ist freilich groß. Der christliche Glaube sollte dieser Gefahr wehren. Dieser Band ist deshalb nur sehr indirekt ein — wie man früher sagte — Trost- und Erbauungsbuch. Er fordert das Denken.

Der Gedankengang ist so eingerichtet, daß die »Wissenschaft« das Mitdenken möglichst nicht verhindert. Die Tübinger Assistenten Eberhard Lempp und Lukas Spinner haben mir dabei sehr geholfen. Mein Zürcher Kollege Robert Leuenberger hat mit mir über mehrere

Semester hinweg einen intensiven Dialog über die Probleme geführt, die in diesem Buch zur Verhandlung kommen. Dabei stellte sich ein hohes Maß an Einverständnis heraus. Ich habe ihm viel zu danken. Für alttestamentliche Belehrung danke ich meinem Freund Rudolf Smend in Münster/Göttingen. Von den zahlreichen theologischen Publikationen über den Tod haben mich — auch dann, wenn ich mich anders entscheiden zu müssen meinte — am stärksten beeindruckt und beeinflußt: Karl Barths *Kirchliche Dogmatik* III/2 und IV/1, Karl Rahners Abhandlung *Zur Theologie des Todes* und Gert Schunacks Untersuchung über *Das hermeneutische Problem des Todes*. – Inzwischen erschienen: R. Leuenberger *Der Tod. Schicksal und Aufgabe*.

Die folgenden Seiten sind zwei Männern der Kirchenleitung gewidmet, die im besten Sinne des Wortes *pastores pastorum* genannt werden dürfen. Die Theologie schuldet ihnen Dank, den ich für mein Teil auf diese Weise wenigstens anzeigen möchte. Die Tatsache, daß beide Namen hier zusammen genannt werden, kann kirchenpolitisch nur mißverstehen, wer es mißverstehen *will* und deshalb ein böswilliger Mensch zu heißen verdient. Aber auch für ihn ist dieses Buch geschrieben. Denn alle Menschen sind sterblich . . .

A. Das Rätsel des Todes

Der Tod als Frage des menschlichen Lebens

1. Der Tod — was ist das?

Vieldeutig ist das Leben. Nicht weniger vieldeutig ist
der Tod. Abraham starb alt und lebenssatt. Saul nahm
das Schwert und fiel hinein. Sein Sohn Jonathan, der
treue Freund Davids, wurde in der Blüte seiner Jugend
erschlagen. Judas, der Verräter, ging hin und erhängte
sich. Henoch aber wurde von Gott hinweggenommen
und ward nicht mehr gesehen. Was ist der Tod?
Lawinen haben Kinder getötet, die eben noch lachten
und spielten. Lawinen kann man nicht zur Rechenschaft
ziehen — wie man Soldaten belangen kann, die Kinder,
Frauen und Greise niederschossen. Was ist der Tod, daß
man für ihn einerseits verantwortlich werden und ihm
andererseits nur in völliger Beziehungslosigkeit ratlos
und tatlos gegenüberstehen kann? Ist der Tod das
natürliche Ende individueller Geschichte oder die geschichtliche Störung einer in sich wohl geordneten
Natur?
Der Neurotiker ist behindert, er selbst zu werden, und
erleidet in der Behinderung seiner Selbstwerdung eine
tödliche Krankheit. Pensionäre, die sich durch ihre Pen-
sionierung des aktiven Verhältnisses zur Zukunft berauben lassen, sind vom sogenannten Pensionierungstod

bedroht. Ist der Tod schon der Anfang des Endes der Zukunft eines zeitlichen Lebens? Oder kann man von Tod erst reden, wenn die Zukunft eines menschlichen Lebens sich überhaupt nicht mehr einstellt?

Sokrates, zum Tode verurteilt statt durch staatliche Auszeichnung geehrt, schlug die ihm angebotene Möglichkeit einer Flucht in die Freiheit aus und nahm den Giftbecher als ein Mittel zum Weg in eine bessere, nur durch Denken zu antezipierende Freiheit; er ließ dem Asklepios einen Hahn opfern, um den Tod als Genesung von der Krankheit des Lebens zu verstehen zu geben. Die glücklich auf die Erde zurückgekehrten Astronauten des havarierten Raumschiffes Apollo 13 hingegen ließen sich auf dem sie bergenden Flugzeugträger mit einem Dankgebet begrüßen und erinnerten so eher an die ganz und gar unsokratischen Beter alttestamentlicher Lobpsalmen, in denen Gott für erfahrene Rettung aus Todesgefahr gedankt wird. Von einem tapferen Denker begrüßt, von nicht weniger tapferen Menschen gefürchtet, erscheint der Tod einmal als das willkommene Ende, einmal als der zu verhindernde katastrophale Abbruch menschlichen Lebens. Was ist er wirklich?

Simeon, als er den Säugling Jesus im Tempel gesehen hatte, lobte Gott und sprach: Herr, nun lässest du deinen Diener in Frieden fahren, wie du gesagt hast; denn meine Augen haben dein Heil gesehen. Neapel sehen und dann sterben — sagt das mehr oder weniger sentimentale Sprichwort. Was ist der Tod, daß er durch geistliche und weltliche Höhepunkte eines gelebten Lebens seinen Schrecken verlieren zu können scheint? Abraham starb alt und lebenssatt. In Sachsenhausen, My Lai und Biafra, in jedem Krieg und in den Vernichtungslagern gestern und heute starben und sterben junge, lebenshungrige Menschen. Der Patriarch starb den Alterstod; der Alterstod kommt, wenn das Leben geht. Unzählige sterben, weil ihnen das Leben geraubt wird. Was ist das Gemeinsame zwischen dem Ende eines erfüllten Lebens und dem Mord? Was erlaubt es dem Tod, in so antithetischer Gestalt sich zu ereignen?

In den USA haben sich sterbende Menschen tiefgekühlt konservieren lassen. Sind sie tot? Organtransplantationen und Vitalkonserven nötigen zur Unterscheidung biologischen und personalen Seins eines Menschen und zur Kategorie des biologischen Überdauerns des Organismus einer nicht mehr existierenden Person.

Umgekehrt behaupten liebende Personen oft genug, im Ereignis der Liebe von der Unmittelbarkeit des Todes berührt worden zu sein, so daß die Vollendung personalen Daseins mitten im Leben wie eine Antezipation, eine Vorwegerinnerung des Todes erscheint.

Vieldeutig ist das Leben. Müssen wir sagen: vieldeutiger noch ist der Tod? Er scheint mit Gott dieses eine gemeinsam zu haben, daß er rätselhaft, undefinierbar ist: mors definiri nequit. Und es scheint gerade die Definitivität seines Kommens zu sein, die ihn undefinierbar macht. Denn *alle* Menschen sind sterblich. Das heißt ja auf jeden Fall: keiner ist des Todes mächtig. Definitionen sind Herrschaftsakte. Wer den Tod zu definieren verstünde, wäre im Begriffe, seiner Herr zu werden. Doch das Gegenteil scheint der Fall zu sein. Nicht wir beherrschen den Tod, sondern der Tod beherrscht uns.

Diese seine herrische Gestalt scheint ihn zu unterscheiden von dem auch sonst waltenden Vollzug der Vergänglichkeit alles Gewordenen. Der Tod herrscht über *Men-*

schen und ist als Ende einer *menschlichen Lebenszeit* etwas anderes noch als ein Ereignis bloßen Vergehens. Zwar redet man metaphorisch vom Tod vieler vergehender Dinge, vom Sterben einer Stadt zum Beispiel oder einer Kultur, auch vom Tod einer Blume. Das sind Redensarten, die in der Tat auf eine nicht zu bestreitende Affinität zwischen Tod und Vergänglichkeit aufmerksam machen. Doch Sterben ist *menschlich*. Und der Tod ist gegenüber dem Phänomen des Vergehens, das dem des Werdens so streng zu entsprechen scheint, eine sehr besondere Sache noch. Er ist eine geschichtliche Großmacht sondersgleichen. Die Literatur aller Zeiten läßt deutlich genug erkennen, wie mächtig allein die *sprachliche* Gewalt des Todes ist. Die Sprache des Todes — Androhungen, Ängstigungen, aber auch Verlockungen und Verführungen — gehört zu seiner Herrschermacht. Er waltet keineswegs nur als brutum factum, als nackte Tatsache, sondern er bestimmt den Menschen bereits in seinen menschlichsten Lebensverhältnissen fundamental. Sublime Liebeslyrik zeigt vielleicht deutlicher noch als der brutalste Krieg: der Tod kann herrschen. Kann er auch besiegt werden? Das ist die Frage.

2. Das uns Fremdeste als unser Ureigenstes

Alle Menschen sind sterblich. Ich bin ein Mensch. Also bin ich sterblich, und so muß auch ich, wenn »sterblich sein« soviel heißt wie »sterben müssen«, irgendwann irgendwo irgendwie einmal sterben. — Das ist ein klassisches Beispiel für eine bestimmte Art des logischen Schlusses aus den Schulbüchern der Logik. Nur daß sich dort der Schluß in der Regel nicht auf mich reimt, sondern auf Sokrates, Caius oder N.N. Und das nicht zufällig.

»Jener bekannte Syllogismus«, heißt es in Leo Tolstois Novelle vom Tod des Iwan Iljitsch, »war ihm sein ganzes Leben lang sehr richtig in bezug auf Caius erschienen, in keinem Falle aber in bezug auf sich selber. Caius — das ist der Mensch, der Mensch im allgemeinen, und da ist gegen diesen Schluß nichts einzuwenden. Aber er war gar nicht Caius und durchaus nicht der Mensch im allgemeinen ... Caius ist sterblich, und es ist ganz in der Ordnung, daß Caius stirbt, aber ich, Wanja, Iwan Iljitsch, mit all meinen Gedanken und Gefühlen — das ist eine ganz andere Sache.«

Iwan Iljitsch ist, was diese seine Überlegungen angeht, die ihn im Blick auf den Tod von dem Menschen im allgemeinen so penetrant zu unterscheiden bemüht sind, nun aber wiederum nicht nur er selbst, nicht nur irgendwer, sondern eher Jedermann. Daß wir, ein jeder selber, sterben müssen, wissen wir zwar. Aber wir glauben es nicht. Wenn es um den eigenen Tod geht, erweist sich der Glaube des gesunden Menschen an sich selbst als erstaunlich vital. »Ein jeder hält einen jeden für sterblich — außer sich selbst« (Young). Psychoanalytische Theorie hat diesen Sachverhalt nicht weniger pointiert formuliert: »Im Grunde glaube niemand an seinen eigenen Tod« (Freud).

Man würde diesen Sachverhalt freilich völlig mißverstehen, wenn man ihn als subjektive Willkür des jeweiligen Individuums auffassen würde. Was den Anschein subjektiver Willkür erweckt, ist vielmehr Ausdruck eines grundlegenden Daseinsverhältnisses. In dem noch immer tief in die Wahrheit führenden Chorlied, das in der Antigone des Sophokles den Menschen als den bestimmt, über den hinaus Unheimlicheres nicht gedacht werden kann, heißt es vom Menschen, daß er, der sich überall und in allem zu helfen weiß, nur dem Tod gegenüber schlechthin hilflos ist. Obwohl es das Wesen des Menschen ist, überall einen Weg zu wissen und zu gehen, ist er ausweglos, wenn er zum Tode kommt. Überall hinkommend findet er sich in alles Fremde. Nur in den Tod findet er sich nicht. Der Tod bleibt ihm fremd. Das ist es, was auch in den Überlegungen des sterbenden Iwan Iljitsch sich ausspricht und was wir als ein grundlegendes Daseinsverhältnis zu verstehen haben. Was den Anschein subjektiver Willkür erweckt, ist der Ausdruck der Wahrheit, daß der Tod als ein mein eigenes Leben beendendes Ereignis mich unendlich *befremdet.* Der Tod ist als Ende meines Daseins das diesem meinem Dasein gegenüber schlechthin Fremde. Und nur als dieses befremdende Fremde gehört er zum menschlichen Leben. So freilich gehört er von vornherein dazu. Der Tod ist in seiner unheimlichen Befremdlichkeit »kein Sonderereignis, das unter anderem auch genannt werden muß, weil es sich zuletzt auch einstellt. Der Mensch ist ohne Ausweg dem Tod gegenüber nicht erst, wenn es zum Sterben kommt, sondern ständig und wesenhaft. Sofern der Mensch *ist,* steht er in der Ausweglosigkeit des Todes« (Heidegger). Um diese Ausweglosigkeit weiß er. Aber das Übermaß ihrer Befremdlichkeit läßt ihn nicht daran glauben, jedenfalls nicht für sich selbst. Und so gilt denn der Satz: Alle Menschen sind sterblich. Aber seine Geltung gilt mir, nur gerade mir, eben nicht.

Doch woher wissen wir denn, daß *alle* Menschen sterblich sind, daß also ein jeder von uns seinem Ende entgegen geht, eilt oder stürzt? Daß uns die logisch unanfechtbare Stringenz jenes Schlusses so wenig existenziell zu betreffen scheint, mag vielleicht mit der Prämisse zusammenhängen, aus der hier gefolgert wird. Die Voraussetzung »alle Menschen sind sterblich« ist ihrerseits möglicherweise nicht ohne Problematik. Woher versteht sich das: alle Menschen sind sterblich?

»Herr N. wird sterben, weil der Herzog von Wellington und noch einige starben, was wir uns in der Form ›alle Menschen sind sterblich‹ ›notiert‹ haben! ... Eine ›Induktion‹ soll der Tod sein« — bemerkte Max Scheler mit einigem Sarkasmus. Und in der Tat könnte die erwähnte Verwendung des Todes als Exempel der Logik zu allerlei Sarkasmus provozieren, wenn man nicht den — nicht ganz unbegründeten — Verdacht haben dürfte, daß sich mit der Bemühung des Todes in den Lehrbüchern der Logik ohnehin eine Ironisierung unseres Verhältnisses zum Tode vollzieht, die zwar nicht den Ernst jenes Beispiels, wohl aber den Ernst seiner Lektüre in eine gewisse Heiterkeit taucht. Kann man denn über den Tod ernsthaft reden? Ist das Ereignis des Todes nicht viel zu ernst, als daß nicht jedes Wort über ihn seinen Ernst mindern müßte? Macht der Tod uns nicht unbeholfen wie kaum etwas sonst im Leben? Woher kommt das merkwürdige Grinsen, das man bei Kondolationen oft auf den Gesichtern durchaus trauernder Menschen wahrnehmen kann? Verlangt der Tod etwa nach Ironie? Wie, wahrhaftig, sollen wir uns sonst vor ihm schützen? Ist der Tod nicht überhaupt, insofern er uns nötigt, lebend mit ihm irgendwie fertig zu werden, ohne doch mit ihm fertig werden zu können, Ursprung und Quelle aller Ironie? »Die Ironie ist das unendlich leichte Spiel mit dem Nichts, ein Spiel, das sich durch das Nichts nicht erschrecken läßt, sondern noch einmal mehr den Kopf hochreckt« (Kierkegaard).

Doch Ironie über den Tod setzt ein Wissen um die Unvermeidbarkeit unseres Todes allemal schon voraus. Und dieses Wissen kommt uns anderswoher als aus Induktion. Denn wir fragen immer auch nach dem Tod, wenn wir uns selber verstehen wollen. Wir wissen um die Unvermeidbarkeit unseres Todes in der Form einer uns von niemandem gestellten, wohl aber mit uns existierenden *Frage:* Was ist der Tod? Diese Frage ist mit unserer Existenz zugleich gegeben. Man kann sie zwar verdrängen, aber sie ist da. Und in ihr ist der Tod in einer sehr unbestimmten Weise selber da. In seiner Unvermeidbarkeit geht er uns sozusagen aus unserem Innersten her an, indem er uns nach ihm fragen läßt: Warum? Was dann? Wie lange noch? Und was ist das überhaupt: unser Tod?

Auf jeden Fall: *unser* Tod. Schon in der Frage nach ihm gehört der Tod in einer sehr eigentümlichen Weise zu uns. Und darin enthüllt sich uns nun ein zweites grundlegendes Daseinsverhältnis, das sich allerdings zu dem ersten paradox zu verhalten scheint: der Tod ist nämlich nicht nur das dem menschlichen Dasein gegenüber schlechthin Fremde, sondern er ist zugleich *unser Eigenstes.* Mag in unserem Leben vieles oder alles ungewiß sein, unser Tod ist uns gewiß. »Incerta omnia, sola mors certa« (Augustin). Man kann uns alles nehmen, man kann uns sogar das Leben nehmen; den Tod kann man uns nicht nehmen. Er ist unser Ureigenstes.

Der Tod ist nun aber nicht einerseits das uns Fremdeste und andererseits unser Ureigenstes. Er wird uns ja dadurch, daß er als unser Ureigenstes erfahren wird, nicht vertrauter. Er bleibt vielmehr als unser Ureigenstes das uns Fremdeste. Das macht den Tod so rätselhaft. Und von daher versteht es sich, daß der Mensch, wenn er sich selber verstehen will, nach dem Tod *fragt.* Aus bloßer Neugierde allein fragt man nicht nach dem Tod. Das tun höchstens kleine Kinder, die aber, da sie den Tod als ihr Ureigenstes noch gar nicht zu erfassen und insofern seine besondere Fremdheit auch noch nicht zu erahnen vermögen, gerade nicht nach dem Tod, sondern nur nach einem mit diesem Namen benannten unbekannten Etwas fragen. Ureigenstes ist kein Objekt eigener Neugierde. Es ist uns zu nah, als daß es noch Objekt unserer Neugierde werden könnte. Die rätselhafte Frage nach dem Tod ist ernster. Sie rührt an das Geheimnis des Lebens.

3. Wer ist nach dem Tod zu befragen?

Wer vom Tod verbindlich und gewissenhaft reden will, muß ihn kennen. Es ist aber ungewiß, ob man den Tod jemals kennenlernt. Nicht daß einem das Sterben erspart bliebe. Aber der Sterbende kennt noch nicht den Tod. »Der Tod ist kein Ereignis des Lebens. Den Tod erlebt man nicht«, behauptete ein auf Klarheit bedachter Denker (Wittgenstein). Ein anderer immerhin auch auf Klarheit bedachter Denker freilich sieht den Sachverhalt anders: »Es gehört zum *Wesen* der Erfahrung jedes Lebens, und auch unseres eigenen, daß sie die Richtung auf den Tod hat. Der Tod gehört zur Form und zur Struktur, in der uns allein jegliches Leben gegeben ist, unser eigenes wie jedes andere, und dies *von innen und von außen*« (Scheler). Wer hat recht?

Für uns stellt sich das Problem zunächst in methodischer Hinsicht: wen können wir nach dem Tod befragen, so daß wir gewissenhaft vom Tod reden können? Verantwortliche Rede vom Tod muß die *Instanz* nennen können, die sich nach dem Tod befragen läßt. Und da geraten wir allerdings in eine nicht unerhebliche Verlegenheit, insofern ja kein nach dem Tod fragender Mensch den Tod an sich selber »erlebt« hat und keiner, der den Tod an sich selber »erleben« mußte, sich noch befragen läßt. Der Mensch kann in die Nähe des Todes kommen, er kann sich auch den Tod geben. Aber in den Tod selbst zu gelangen vermag keiner, so daß er über ihn Auskunft geben könnte. Der alte (als Todesgedanke ernst gemeinte) Witz Epikurs scheint schlagend zu sein — wie alle Sophismen: »Das schauerlichste Übel, der Tod, geht uns nichts an. Denn solange wir sind, ist der Tod nicht da; und wenn er da ist, sind wir nicht da.«

Wer ist aber dann nach dem Tod zu befragen? Das *Ereignis des Todes* selber ist unbefragbar. Ja es ist nicht einmal genau bestimmbar. Die Frage, wann genau das Sterben eines Lebenden zum Totsein eines Leichnams wird, macht selbst den Medizinern so viel Schwierigkeiten, daß man eher resignierend vorgeschlagen hat, den Tod als juristische Tatsache zu definieren, »als eine Folge der Für-tot-Erklärung durch den Gerichtsarzt« (nach Scheler). Das Ereignis des Todes redet nicht. Daß der Tod dennoch als redend vorgestellt wird, führt zu der paradoxen Darstellung des Todes als eines Toten, als des Knochenmannes, der in der Gestalt des traurigen Restes eines Menschen zu gehen, genauer: zu kommen und anzureden vermag. Aber das ist eine — auf ihre Weise zweifellos sehr tiefsinnige — Paradoxie, die uns kaum darüber hinwegtäuschen kann, daß der Tod selber nicht redet. Der Tod selber ist stumm und macht stumm. Ihn kann man nicht über ihn selbst befragen, solange man lebt.

Vom *Toten* hat in dieser Hinsicht dasselbe zu gelten wie vom Tod. Die Wissenschaft beschwört keine Toten. Auch nicht, um sie über den Tod zu befragen. Sie kann das nicht, und sie kann das auch nicht wollen. Denn wollte sie es, wäre sie keine Wissenschaft mehr, und könnte sie es, brauchten wir keine Wissenschaft mehr. Die Theologie vollends wird sich der Erzählung von der durch Saul veranlaßten Totenbeschwörung zu Endor (1. Sam. 28) nur mit Abscheu erinnern. Wird doch der Vorgang ausdrücklich als ein Unternehmen gekennzeichnet, das veranstaltet wurde, um dem Schweigen Gottes auszuweichen — einem Schweigen, das freilich beredt genug war. Die Toten scheiden als mögliche Instanz zur Befragung über den Tod aus. Sie sind tot.

Aber wie ist es mit dem *Sterbenden?* Ist er nicht in einer Weise mit dem Tod konfrontiert, die eine kompetente Antwort auf die Frage nach dem Tod ermöglicht? Über seine spezifische Nähe zum Tod Auskunft zu geben, ist der sich seines Sterbens bewußte Mensch vielleicht bereit und in der Lage. Aber damit gibt er noch keineswegs über den Tod Auskunft. Denn der Sterbende mag zwar dem Tod existenziell — vielleicht! — näher sein als die Lebenden, die man mit einigem Recht noch nicht »Sterbende« nennt; aber er lebt noch. Und solange er stirbt, ist er zwar unter den Lebenden von diesen durch einen unvergleichbaren Abstand getrennt. Aber die zeitliche Nähe zum Tod kann doch nicht verbergen, daß der Sterbende von den Toten ungleich schärfer getrennt ist als von den Lebenden. Das Ende des Lebens tritt nicht früher ein als das Ende des Sterbens, sondern ist mit diesem identisch. Erst der Tod hebt die eine Trennung auf und führt die andere Trennung für immer herbei, indem er den qualitativ unendlichen Unterschied setzt zwischen den Sterbenden und den Toten. Denn solange wir sterben, leben wir. — Der Sterbende mag also dem Tod in besonderer Weise, etwa so wie der Säugling der Geburt, nahe sein: allein deshalb den Tod zu kennen vermag er jedoch nicht, und er kommt als eine Instanz, die man über den Tod befragen kann, jedenfalls nicht vorzüglicher in Betracht als die noch nicht sterbenden Lebenden.

Doch vielleicht sind die Sterbenden als Lebende und mit ihnen *alle Lebenden* die Instanz, die über den Tod Auskunft zu geben vermag? Daß lebende Menschen über den Tod allerlei und oft auch durchaus Nachdenkenswertes zu sagen hatten, ist freilich noch kein Indiz dafür. Entscheidend kann hier nicht sein, ob jemandem, dem auch sonst, bloß deshalb weil er lebt, Gedanken kommen, überdies etwas Gescheites oder Tröstliches über den Tod einfällt. Die Frage ist vielmehr, ob unser Leben selber über den Tod etwas zu sagen weiß. Kennt das Leben aus sich selber heraus den Tod? Diese Frage darf mit einem behutsamen » Ja « beantwortet werden.

4. Der lebende Mensch als befragbare Instanz — die anthropologische Todesrichtung

Daß es so etwas wie ein Vorgefühl des eigenen Endes bei bestimmten Tieren gibt, ist bekannt. Wenn dieses Ende als unmittelbar bevorstehend »geahnt« wird, »legen sie sich nieder und erwarten ihren Tod« (Landsberg). Demgegenüber ist jedoch das menschliche Leben grundsätzlich von einem Verhältnis zum Tode bestimmt. Und dieses erschöpft sich keineswegs in einem Vorgefühl, das an die Zeit unmittelbar vor dem Tode gebunden ist. Etwa seit dem neunten Lebensjahr realisiert das Kind, daß alle Menschen sterben müssen, es selbst nicht ausgeschlossen. Allerdings erfährt das Kind von der Unvermeidlichkeit des Todes in der Regel durch die Erwachsenen. Bis dahin spielt der Tod im Leben des Kindes eine ähnliche Rolle wie in der Vor- und Frühgeschichte der Menschheit: er wird weder als endgültig (irreversibel) noch als unvermeidlich erfahren.

Zunächst ist also im Leben der Menschheit sowohl wie im Leben des Kindes eine selbstverständliche Unsterblichkeitsprämisse anzutreffen, die so etwas wie Unsterblichkeit noch gar nicht als Gegenbegriff zum Tod zu denken erlaubt. Allen »Beweisen« der Unsterblichkeit geht insofern die Notwendigkeit voran, allererst die Sterblichkeit zu »beweisen«. Aber dieser »Beweis« der Sterblichkeit des Menschen vollzieht sich kaum durch ein logisches Beweisverfahren, das »aus den vielen beobachteten Einzeltoden ... das Gesetz« herleitet, »daß alle Menschen sterblich sind« (gegen Choron). Viel eher dürfte die Erfahrung der Zeitlichkeit des eigenen Lebens zugleich die Sterblichkeit des Menschen evident machen. Die Erfahrung der Zeitlichkeit des Lebens führt zur Einsicht in den *Fristcharakter* des Lebens. Und diese Einsicht muß nicht erst durch Belehrung vermittelt werden. Sie stellt sich ein, in der Geschichte der Menschheit ebenso wie in der Geschichte des einzelnen Menschen.

Man wird deshalb den Bedenken zustimmen müssen, die gegen Voltaires bekannte Behauptung erhoben worden sind, daß »ein Kind, das man allein aufziehe und auf eine einsame Insel bringe, . . . die Notwendigkeit des Todes ebenso wenig . . . wie eine Pflanze oder eine Katze« verstehen werde. Das Kind bleibt kein Kind und macht gerade damit, daß es nicht Kind bleibt, eine Erfahrung. Die vergehende Kindheit zeigt ihm, daß zu seinem Leben Vergehen gehört. Es hat dabei die Fähigkeit, sich zu dieser ihm widerfahrenden Negation positiv zu verhalten. Inwiefern diese Fähigkeit mit dem Sprachvermögen des Menschen zusammenhängt, wäre zu fragen, kann aber hier nicht weiter untersucht werden. Immerhin dürfte die Sprache am ehesten diejenige Existenzdimension des Menschen sein, die es möglich macht, daß wir uns zu den uns widerfahrenden Negationen positiv verhalten und den Schmerz der Negation so verarbeiten, daß sie dem Leben zugute kommt.

Wir halten jedenfalls fest: *das Leben des Menschen verhält sich zum Tode.* Max Scheler hat in seiner wichtigen Abhandlung über »Tod und Fortleben« diesen Sachverhalt herausgearbeitet. Lebend hat der Mensch ein Verhältnis zum Tode, er weiß von seinem eigenen Tod. »Ein Mensch wüßte in irgendeiner Form und Weise, daß ihn der Tod ereilen wird, auch wenn er das *einzige* Lebewesen auf Erden wäre; er wüßte es, wenn er niemals andere Lebewesen jene Veränderungen hätte erleiden sehen, die zur Erscheinung des Leichnams führen.« In dieser überspitzten Formulierung steht mit Schelers Satz nun die genaue Umkehrung der Voltaireschen Behauptung vor uns. Inwiefern mit dieser Formulierung zwar auch Entscheidendes verdeckt wird, ist im folgenden Kapitel darzustellen. —

Wir waren auf der Suche nach einer über den Tod befragbaren Instanz. Dabei hat sich gezeigt, daß das menschliche Leben sich zum Tode verhält. Von diesem Verhältnis des menschlichen Lebens zum Tode kann nun allerdings gesagt werden, daß es sich über den Tod befragen läßt. Wir wollen deshalb den Schelerschen Gedanken noch näher ausführen.

Das Verhältnis des menschlichen Lebens zum Tode läßt den Tod als ein Ereignis in den Blick kommen, ohne das der Lebende sich selber gar nicht verstehen kann. Der Mensch versteht sich als ein Wesen, das Zeit hat (und dem nur deshalb auch Zeit fehlen kann), das aber nicht unbegrenzt Zeit hat. Beides bestimmt unsere Existenz, die in jedem ihrer Akte zeitlich ist, aber zugleich ständig auf ihre zeitlichen Grenzen stößt. Dabei trägt der Verlauf der Zeit eines Menschenlebens offensichtlich von selbst dafür Sorge, daß der Mensch mit der Begrenztheit seiner Zeit vertraut oder doch zumindest bekannt wird. Der Verlauf der Zeit macht sich dem zeitlich existierenden Menschen als Ablauf bemerkbar. »Für den Jüngling und Knaben steht seine erlebte (erlebbare?) Zukunft da wie ein breiter, heller, ins Unabsehbare sich erstreckender glänzender Gang, ein ungeheurer Spielraum in der Erlebnisform ›Erlebenkönnen‹, in den Wunsch, Verlangen, Phantasie tausend Gestalten malt. Aber mit jedem Stück Leben, das gelebt ist und als gelebt in seiner unmittelbaren Nachwirkung gegeben ist, *verengert* sich fühlbar dieser *Spielraum* des noch erlebbaren Lebens.« Scheler hat dieses Phänomen als »Richtungstendenz des Wechsels« analysiert, in dem sich eine »stetige *Aufzehrung* des erlebbaren, als zukünftig gegebenen Lebens durch gelebtes Leben und seine Nachwirksamkeit« vollzieht. Und es ist nach Scheler »das Richtungserlebnis dieses Wechsels, das auch *Erlebnis der Todesrichtung* genannt werden kann«. Dieses Erlebnis der Todesrichtung ist ein Verhältnis zum Tode, das über diesen etwas zu sagen hat.

Was haben wir nun methodisch für eine auf verbindliche Antwort bedachte Frage nach dem Tod gewonnen? Soviel, daß als Instanz für eine Befragung über den Tod nur das menschliche Leben in Betracht kommt. Das menschliche Leben kommt dafür in Betracht, weil es sich als Verhältnis zum Tode vollzieht und zur Erfahrung bringt. Allerdings gewinnen wir aus dieser Erfahrung eher ein genaueres Verständnis des menschlichen *Lebens:* als eines »Seins zum Tode« (Heidegger). Doch das wiederum kann für ein methodisch geleitetes Fragen nach dem Tod durchaus ein Gewinn sein. Insofern nämlich, als dadurch klargestellt ist, daß der Tod nur im Horizont des menschlichen Lebens als das verstanden werden kann, was er ist. Es wird hier deshalb eher das Gegenteil dessen zu gelten haben, was der Satz Epikurs besagte: Der Tod geht uns an. Denn nur solange wir da sind, ist der Tod da, und wenn wir noch nicht oder nicht mehr da sind, ist auch der Tod nicht da. Der Tod zehrt vom Leben.

Indessen — aus allem bisher Gesagten folgt vor allem die Möglichkeit der Erkenntnis, *daß* der Tod ist. *Was* der Tod ist, ist nur am Rande der Erkennbarkeit dieses Daß und nur sehr vage mitgesetzt (insofern es nämlich ohne irgendeine minimale Erkenntnis eines Was auch keine Erkenntnis des Daß einer Sache gibt). Immerhin erscheint jetzt die *Frage* nach dem Was des Todes als eine sinnvolle Frage. Das Leben läßt sich über den Tod befragen. Aber daß die *Antworten* etwas anderes sein werden als wiederum — Fragen, das ist methodisch nicht vorweg zu entscheiden. Vieles spricht vielmehr dafür, daß Augustin nicht nur seine existenzielle Betroffenheit durch den Tod eines Freundes, sondern überhaupt die Situation des den Tod verstehenden natürlichen Menschen formuliert hat, als er schrieb: factus eram ipse mihi magna quaestio — ich selber war mir zur großen Frage geworden.

Wer vom Tode reden will, muß etwas vom Leben verstehen. Verstehen wir schon genug vom Leben, um vom Tode reden zu können?

5. Der sterbende Mensch als Gegenstand der Medizin — die biologische Todesrichtung

Bevor wir die Geduld fordernden methodischen Erwägungen fortsetzen, wagen wir einen Exkurs in den naturwissenschaftlichen Bereich. Man könnte meinen, über den Tod schlüssig Auskunft zu geben sei vor allem Sache der *Medizin*. Deshalb sollten wir uns in Umrissen vergegenwärtigen, was sie zu sagen hat. Entsprechen ihre Erkenntnisse dem bisher Erarbeiteten? Wie begreift sie das Phänomen des Todes und des Sterbens?

a) Der Tod als Ende ohne Anfang

Dem um 500 vor Christus lebenden Arzt Alkmaion von Kroton, dem Entdecker der Nerven und des Gehirns als des menschlichen Zentralorgans, wird folgender Satz zugeschrieben: »Die Menschen vergehen deshalb, weil sie den Anfang mit dem Ende nicht zusammenbringen können.«

Man vermutet, daß sich der Satz auf das Zugrundegehen des menschlichen Körpers bezieht. Der menschliche Körper muß zugrunde gehen, weil die Menschen den Anfang nicht mit dem Ende zusammenbringen können; denn könnten die Menschen den Anfang mit dem Ende zusammenbringen, dann wäre am Ende der Anfang wieder da, dann geschähe auch im menschlichen Dasein die ewige Wiederkehr des Gleichen. Sie geschieht nicht. Im Unterschied zum Lauf der Gestirne, die ohne Pause und ohne Zwischenraum ihrer Bahn folgen und so ständig den Anfang an das Ende knüpfen, im Unterschied auch zur zumindest scheinbaren Identität einer in jedem Frühling den neuen Anfang an das Ende knüpfenden »Natur« muß der menschliche Körper unwiderruflich zugrunde gehen und kehrt nicht wieder. Diogenes war so einmalig, wie Napoleon einmalig war und Lieschen Müller einmalig war, ist und sein wird. Für den Menschen fallen Anfang und Ende auseinander, und deshalb zerfällt er selbst. Der menschliche Körper hat, das will Alkmaion sagen, den Anfang immer schon hinter sich und nur das Ende noch vor sich, dem kein Anfang mehr folgt. Das macht ihn endlich im Sinne von vergänglich.

Anfang und Ende werden von dem alten Mediziner als Gegensatzpaar gedacht. Die griechische Medizin war ebenso wie die alte Philosophie besorgt um das Gleichgewicht der Gegensätze, um den Ausgleich gegensätzlicher Kräfte. Die Gegensätze müssen sich im Gleichgewicht halten oder im Gleichgewicht erhalten werden, um Sein überhaupt und um das Gedeihen des Seins zu gewähren.

So wird medizinisch durch die »Gleichberechtigung der Kräfte« — wie zum Beispiel die Gleichberechtigung der gegensätzlichen Kräfte des Feuchten und des Trockenen, des Kalten und des Warmen, des Bitteren und des Süßen — die Gesundheit bewahrt. Kommt es zur Alleinherrschaft, zur »Monarchie« einer Seite des Gegensatzes, so wird die Gesundheit gestört. Für die Gleichberechtigung der Kräfte kann der Mediziner nun aber nicht total sorgen. Denn das Gleichgewicht von Anfang und Ende ist ihm entzogen. Kein Mensch vermag dafür zu sorgen. Je mehr sich der Mensch von dem Anfang seines Daseins entfernt, desto mehr nähert er sich dem Ende. Und je mehr er sich dem Ende nähert, desto mehr entschwindet der Anfang, der doch am Ende gerade dasein müßte, sollte man in diesen zurückschwingen und also wieder anfangen können. Der Mensch kann seinen Anfang nicht mitnehmen und mitbringen zum Ende, um ihn dort anzuknüpfen. Der Mensch lebt zwischen Anfang und Ende. Aber er ist nicht am Anfang (der liegt immer schon hinter ihm); und am Ende ist er nicht mehr. Weil er nur diesseits des Anfangs und diesseits des Endes *zwischen* Anfang und Ende ist, ist er dem Ende ausgeliefert, ohne einen neuen Anfang machen zu können. Er stirbt.

Die vorgetragene Interpretation eines Satzes, den ein Arzt des Altertums vor ca. 2500 Jahren mitteilte, ist kein philosophischer Schnörkel, sondern eine sachgemäße Einführung in das, was heutige Medizin vom Tod zu sagen weiß. Denn biologisch geurteilt vollzieht sich im Laufe eines Menschenlebens ein Vorgang, den man als geregelten Ausgleich zwischen Werden und Vergehen bezeichnen könnte. »Vom Standpunkt der organischen Zusammensetzung aus gesehen, wird unser Körper während des Lebens mehrfach in so gut wie allen Bestandteilen ersetzt. Nur vollzieht sich dieser Vorgang im allgemeinen so unbemerkt, daß er der groben Beobachtung entrückt ist. Täglich gehen Hunderttausende von Zellen zugrunde und werden in der gleichen Zahl und Beschaffenheit wieder gebildet.« Sollte man also »einen Freund nach 10 Jahren wiedersehen und wiedererkennen« — was man unter Freunden wohl erwarten darf! —, dann kann man »sicher sein, daß er *kaum eine* der Zellen des Körpers mehr besitzt«, mit denen er vor zehn Jahren Abschied nahm. »Er ist also, organisch gesehen, ein völlig neuer Mensch« (Nissen). Man hat diesen Vorgang als ausgeglichenen Wechsel von Leben und Tod bezeichnet, die derselbe Organismus wie Nachbarn beherberge. Und Goethe hat von diesem Vorgang her für das menschliche Dasein überhaupt das Grundgesetz des »Stirb und Werde« formuliert: »Und so lang' du das nicht hast, / Dieses: Stirb und werde! / Bist du nur ein trüber Gast / Auf der dunklen Erde.«

Doch nun ist dieses »Stirb und Werde« ja gerade das Leben. Man könnte also sagen, daß das Leben innerhalb der Zeit eines Menschenlebens ständig den Anfang an das Ende zu knüpfen bemüht ist. Aber eben dabei kommt es zu so etwas wie einem *Verschleiß* der »Substanz, aus der wir bestehen« (Schaefer). Der zweite Hauptsatz der Wärmelehre gilt als Regel auch für den menschlichen Leib. Und im »Sinne einer physikalisch-chemischen Betrachtung« gilt, daß die »lebendige Masse . . . auf die Länge der Zeit unter keinen Umständen den Typus ihrer Baustoffe rein erhalten« kann. Die »Reinerhaltung der sogenannten optischen Konfiguration asymmetrisch gebauter chemischer Stoffe« gilt aber »als besonderes Merkmal der lebendigen Organisation«, so daß die Unmöglichkeit, diese Reinerhaltung auf die Länge der Zeit zu gewährleisten, im Blick auf unseren Leib bedeutet, daß »wir körperlich zum Sterben verurteilt« sind (Doerr). Das ständige Anknüpfen des Anfangs an das Ende, als das sich das Leben eines Organismus vollzieht, gibt dem Ende also eine Prävalenz vor dem Anfang. Die sogenannte Nachbarschaft von Werden und Vergehen im selben Organismus, die das Leben de facto ist, führt mit Notwendigkeit zu einer Aufhebung des »Gleichgewichts der Kräfte«. Und diese Störung ist eben der sehr natürliche Vorgang, der zur — wie Alkmaion das nennt — »Monarchie« des Vergehens führt. Der am Menschen sich vollziehende Wechsel von Anfang und Ende und Anfang führt den ganzen Menschen sehr natürlich vom Anfang zu einem Ende ohne Anfang. Tritt nicht ohnehin eine sogenannte unnatürliche Störung des »Gleichgewichts der Kräfte« ein, also eine unnatürliche Todesursache, so kommt es zum natürlichen Alterstod. Er ist das definitive Ende. Und mit diesem Ende verliert der Mensch »seine Fähigkeit, Leben weiterzugeben oder selbst weiter lebendig zu sein« (Schaefer). Soll von seinem Leben als Leben etwas überleben, so muß er vorher dafür Sorge tragen. Zu diesem Zwecke existiert nach Immanuel Kant die Einrichtung der Ehe. Und es scheint so, als wollte das Leben selbst sich mit einem Dank bei den sich dieser Einrichtung Fügenden revanchieren, insofern es die Lebenserwartung Verheirateter gegenüber der Erwartung Lediger entschieden erhöht.

b) Definitivität des Todes und Reversibilität des Sterbens

Das *definitive Ende* eines menschlichen Lebens *zu bestimmen* stellt die Wissenschaft vor eine erhebliche Schwierigkeit. Denn untrügliche Kennzeichen des eingetretenen Todes lassen sich erst eine gewisse Zeit nach dem Eintritt des Todes erkennen. Das hängt damit zusammen, daß der Mensch von Organen seines Körpers »überlebt« werden kann. Der Organtod ist mit dem Tod des Menschen nicht identisch. Und die verschiedenen Organe haben wiederum eine je verschiedene Überlebensdauer. Aus diesem Umstand hat die Medizin die Konsequenz gezogen, daß das Sterben nicht notwendig ein unwiderruflicher Übergang vom Leben zum Totsein sein muß. Ein durch »unnatürliche« Ursachen, also zum Beispiel durch Krankheit verursachtes Sterben kann, weil Sterben kein Augenblicksereignis, sondern ein zeitlich mehr oder weniger ausgedehnter Vorgang ist, so »gestoppt« werden, daß eine Rückkehr ins Leben möglich ist. Die Differenzierung der verschiedenen »Organtode« hat die Erkenntnis einer Grenzverschiebung zwischen Leben und Tod in dem Sinne, daß die Grenze zwischen Leben und Tod unscharf geworden ist, möglich gemacht. Das läßt sich verdeutlichen an der differenzierten Wertung der sogenannten biologischen Eintrittspforten des Todes, der atria mortis.

»Die klassische Medizin der Alten kannte vier Atria mortis, Vorhallen, besser: Eintrittspforten des Todes: Hirn, Herz, Lunge, Blut« (Doerr). Der Stillstand des Herzens oder der Atmung ist nun aber unter gewissen Umständen durchaus reparabel. Und dadurch kann der Sterbende vor dem scheinbar schon eingetretenen Tod bewahrt werden. Denn tot ist der Mensch erst, wenn eine Wiederbelebung nicht mehr gelingt. Dabei kommt dem Sterbenden die verschiedene Überlebensdauer der einzelnen Organe zustatten. Denn Sterben ist ein Vorgang, der sich als *Rückkoppelungsprozeß* vollzieht, in dem die wichtigsten Körperteile arbeiten. Im Grunde stellt der Versuch einer »Wiederbelebung« nur das Durchbrechen eines Rückkoppelungsprozesses dar, der zwischen den atria mortis in Gang kommt, wenn der Vorgang des Sterbens einsetzt. Das Sterben ist ein Teufelskreis, der die vorausgesetzten Regelkreise zwischen Atmung, Gehirn, Herz und Blutkreislauf negativ vollzieht. »Jede Abnahme der Herzkraft senkt ... den Blutdruck, und dadurch sinkt die mit dem Blutdruck betriebene Versorgung des Herzens mit Blut und Nährsubstanzen erst recht, und so fort in einem Kreisprozeß ... Mit der Atmung ist es ähnlich, da die Atmung nur durch ein mit Sauerstoff gut versorgtes Gehirn aufrechterhalten wird, jede Schädigung der Atmung aber diese Sauerstoffversorgung auch schädigt. Man kann daher mit einigem Recht sagen, daß die Eintrittspforten des Todes dadurch charakterisiert sind, daß sie in einem solchen Teufelskreis arbeiten. Was auch immer das Sterben zunächst in Gang setzt: zum Tode führt dieser Prozeß nur, wenn der Rückkoppelungsprozeß selber zu Ende laufen kann. Das aber bedeutet, daß jede Unterbrechung des Teufelskreises dem Sterben Einhalt gebietet« (Schaefer). Eine Unterbrechung ist deshalb möglich, weil weniger kompliziert arbeitende Körperteile eine längere Überlebensfrist bis zum Organtod haben. Es kommt also darauf an, vor dem Eintritt des Organtodes der im Regelkreis arbeitenden Organe den negativen Rückkoppelungsprozeß zu durchbrechen.

Das Kriterium für die Möglichkeit einer solchen erfolgreichen »Wiederbelebung« gibt die Überlebenszeit des Gehirns ab, weil das Gehirn selber nicht wieder in Gang gesetzt werden kann. Wegen dieser seiner besonderen Empfindlichkeit wird es auch als »erste Eintrittspforte des Todes« bezeichnet. Denn unser Großhirn ist »schon nach 8 Minuten langer Unterbrechung der Blutzufuhr endgültig so geschädigt..., daß das Bewußtsein nie mehr wiederkehrt... Es gibt Menschen, bei denen das Gehirn endgültig seinen Dienst nach einem so langen Herzstillstand versagt hat, bei denen aber Herz und Atmung ihre Funktion wieder aufgenommen haben.« Ihr Leib »lebt« zwar noch »ein gespenstiges bewußtloses Leben« (Schaefer), aber lebendig im Sinne eines sich seines Daseins bewußten Lebens sind sie nicht. Man spricht in solchen Fällen von einem »Individualtod« im Unterschied zum »biologischen Tod«. Denn »diejenigen Strukturen des Gehirns, die das Individuum zum Menschen machen, treten nicht wieder in Funktion«. Die Medizin nennt einen solchen Zustand »Decerebration« (Enthirnungszustand) oder auch »apallisches Syndrom«: »ein lebender menschlicher Körper, dennoch kein lebendiger Mensch! Dieser Zustand kann Wochen, Monate, ja Jahre andauern, bis eine Komplikation ein solches Leben auslöscht.« Der unwiderrufliche Tod ist aber bereits mit dem endgültigen Verlust der Funktionsfähigkeit des Großhirns eingetreten. Es ist also die »kurze Zeitspanne bis zum Organtod des Gehirns, die über die Endgültigkeit des Todes, aber auch über eine Rückkehr vom Tode (cum grano salis geredet) und auch über die Zeitdauer des Sterbens entscheidet. In dieser Zeitspanne vollzieht sich die Grenzverschiebung zwischen Leben und Tod« (Kuhlendahl). Sie stellt den Arzt nicht nur vor die Frage medizinischen Könnens, sondern zugleich — und mit dem Arzt ist die Gesellschaft selber gefordert — vor das Problem, wie man aus dieser Grenzverschiebung das Beste für den betroffenen Sterbenden machen und Schlimmeres als den Tod für alle Beteiligten verhindern kann.

c) Vorboten des eintretenden und Anzeichen des eingetretenen Todes

Die vier atria mortis sorgen auch dafür, daß man den *Vorgang des Sterbens* äußerlich wahrnehmen kann. Versagen der Atmung, der Sauerstoffversorgung, des Blutumlaufs, des Herzmuskels und Veränderung des Blutes selbst haben wahrnehmbare Folgen. Als wahrnehmbare Vorboten des Todes lassen sich nennen: »Verwesungsgeruch in der Ausatmungsluft; die Facies hippocratica mit der sich scharf profilierenden Nase, dem halboffenen Mund, dem Herabsinken der Augenlider; unwillkürlicher Abgang von Urin und Kot; kalter Schweiß und Totenblässe der Haut ... Der Schleim, der nicht mehr ausgehustet wird, verursacht rasselnde Geräusche. Die Tastempfindung beginnt zu schwinden. Die Hände bewegen sich unkoordiniert . . . Häufig, aber durchaus nicht immer, beginnen zunächst die rationalen, dann die sensitiven, die animalischen und schließlich die vegetativen Funktionen zu erlöschen . . . Die meisten Kranken sterben ohne klares Bewußtsein. Die Unruhe und das Stöhnen der Sterbenden sind auf reflektorisch bedingte Vorgänge zurückzuführen, ohne schmerzhaft empfunden zu werden. Soweit sich dies vom Biologischen beurteilen läßt, dürfte das Sterben des Menschen nicht mit besonderen Qualen verbunden sein.«

Ist der *Tod eingetreten,* dann hören Atem, Herztätigkeit und Pulsschlag auf. »Die Haut ist zyanotisch oder blaß und unempfindlich. Die Hornhaut trübt sich. Die Pupillen werden weit. Die Muskeln erschlaffen. Der Eintritt der Totenstarre ist unterschiedlich. Nach heftiger Muskelanstrengung kann die Starre plötzlich auftreten. In der Regel vergehen drei bis zehn Stunden bis zu deren Eintritt.« Wenn sich die Totenstarre nach 24-48 Stunden löst, kann es zu Bewegungen kommen.

Untrügliche Kennzeichen des eingetretenen Todes lassen sich erst eine gewisse Zeit nach dem Eintritt feststellen, am sichersten durch den Zerfall der Gewebe. »Die Zellen der bereits trüben Hornhaut beginnen sich voneinander zu lösen. Einige Stunden später werden an den abhängigen Körperpartien die Totenflecke sichtbar. Zunächst kann man sie noch wegdrücken, später bleiben sie fixiert. Die Haut beginnt einzutrocknen und bekommt besonders an den Lippen pergamentartiges Aussehen. Durch die im Darm sich entwickelnde Fäulnis beginnt sich die Bauchhaut grünlich zu verfärben. Die

Fäulnisgase treiben den Leib auf. Bakterielle Zersetzung und Insektenlarven bauen die toten Gewebe fortschreitend ab, wenn Luft zutreten kann und genügend Feuchtigkeit und Wärme vorhanden ist. Nach vier bis sechs Jahren bleibt nur mehr das Knochengerüst übrig.« Das ist zweifellos das untrüglichste Anzeichen des eingetretenen Todes.

Sehr viel schwieriger ist es, *frühe* Kennzeichen des eingetretenen Todes zu nennen. Denn frühe Kennzeichen sind nicht völlig eindeutig. »1874 wurde ein besonderer Preis für ein absolut zuverlässiges frühes Kennzeichen des eingetretenen Todes ausgesetzt. Dieser Preis ist bis heute noch nicht vergeben ... Die sichersten Zeichen sind das Aufhören der elektrischen Erregbarkeit der Nerven und Muskeln sowie das Fehlen der Aktionsströme des Gehirns (Enzephalogramm) und des Herzens (Elektrokardiogramm).« Die Schwierigkeit, eindeutige frühe Kriterien für die Bestimmung des Eintritts des Todes angeben zu können, hängt zusammen mit dem zuvor erörterten Phänomen der Grenzverschiebung zwischen Leben und Tod. Der Vorgang des Sterbens macht es, eben weil Sterben kein Augenblicksereignis ist, schwierig zu sagen, von wann ab präzis eine Leiche da ist. Mit dem Versagen eines der Lebenszentren und dem Zuendelaufen des negativen Rückkoppelungsprozesses werden zudem Tausende an sich durchaus noch lebensfähiger Zellen unfehlbar zum Tode verurteilt.

Man hat deshalb als verschiedene Stadien des Sterbens und Absterbens des menschlichen Körpers den klinischen Tod, den absoluten Tod und den physiologischen Tod voneinander unterschieden. Das Kriterium für diese Unterscheidungen ist die Bedeutung des im Sterbenden und im Toten noch latent vorhandenen Lebens. Damit ist auch Vorsorge gegen den Scheintod getroffen. Denn nicht schon nach dem klinischen Tod, sondern erst wenn der absolute Tod als sicher gilt, darf der Körper als Leiche behandelt werden. Erst nachdem »so viele Zellen und Gewebe unwiderruflich (so) schwer geschädigt sind, daß jede Erholungsmöglichkeit endgültig ausgeschlossen ist, . . . darf die Leiche begraben werden« (Faller). Man hat es den in ihrer Komik wahrhaft ergreifenden einschlägigen Gedichten des Schlesischen Schwanes Friederike Kempner zu danken, daß in Preußen durch königliches Reskript vom 7. März 1871 eine Wartefrist von fünf Tagen zwischen Tod und Beerdigung angeordnet wurde. Denn: »Wir wollen alle Wetter auch / Nicht halten an dem alten Brauch, / Daß man mit uns zu Grabe rennt, / Als wenn man's nicht erwarten könnt'! / Für Tänzer gibt es Raum und Zeit — / O, tiefbetörte Menschlichkeit! / Ihr alle seid so schlecht als blind, / Solang nicht Leichenhäuser sind.«

d) Tod des Leibes — Tod des Menschen

Biologische Informationen über das Sterben und über den Tod können nicht mehr deutlich machen als das Zuendegehen und Zuendesein eines Menschenlebens unter dem Gesichtspunkt der Leiblichkeit dieses Lebens. Doch was heißt hier: »nicht mehr deutlich machen als«? Gibt es im Blick auf den Tod überhaupt etwas mehr deutlich zu machen?

Zwei Gesichtspunkte legen es nahe, dies zu vermuten. Der *erste* Gesichtspunkt betrifft die *Proportion des Todes zur Lebens-Zeit* eines Menschen. Der Mensch kann früher oder später sterben. Gerade die medizinische Bemühung um Wiederbelebung setzt voraus, daß ein unzeitiger, zu früher Tod vom natürlichen Alterstod unterschieden wird. Beide kommen vor. Definiert man den Alterstod als das aus dem alternden Leib sich natürlich ergebende spätestmögliche Ende eines Menschenlebens, dann stellt sich die Frage, was es bedeutet, daß der unnatürliche, vorzeitige Tod noch immer die Regel ist. Der Tod ist offensichtlich nicht nur die Verneinung einer bestimmten *Wirklichkeit* (eben der Wirklichkeit des bis dahin Lebenden), sondern darüber hinaus der Verlust von erreichbaren *Möglichkeiten* (eben eines noch zu lebenden Lebens). Der Tod ist bisher in der Regel nicht das Ende einer ihre Möglichkeiten ausgeschöpft habenden Wirklichkeit. Er wirft so die Frage auf nach der *Diskrepanz* zwischen der Wirklichkeit eines gelebten Lebens und den Möglichkeiten eines zu lebenden Lebens.

Es besteht also Anlaß, über den Aspekt des leiblichen Endes eines Menschenlebens hinaus nach der *geschichtlichen Dimension* des Todes zu fragen, als die sich die Dimension des Verhältnisses von Wirklichkeit und Möglichkeiten des menschlichen Lebens bezeichnen läßt. Hinzu kommt ein *zweiter* Gesichtspunkt. Ohne die Leiblichkeit des Lebens kennen wir kein Menschenleben. Wir kennen aber in der Leiblichkeit des Lebens Akte menschlichen *Geistes*lebens und *Seelen*lebens, die als solche noch etwas anderes als leibliche Akte sind und ohne die der Mensch überhaupt nicht Mensch wäre. Er kann hören und verstehen, antworten und schweigen; er kann begehren und begehrend verzichten; er kann im Vollbesitz seiner physischen Kräfte unsagbar leiden, kann träumen und rechnen, kann gut und böse oder jenseits von Gut und Böse sein. Der Mensch kann glauben, lieben und hoffen. Die Leiblichkeit seines Lebens spielt auch dabei eine nicht zu unterschätzende Rolle. Aber in ihrer Leiblichkeit sind dergleichen Vorgänge noch von woanders her bestimmt als von unserem Leibesleben. Die Tradition hält für dieses »Woandersher« den Begriff der *Seele* oder den des *Geistes* bereit und redet entsprechend von psychischen Vorgängen und von Akten des Geisteslebens. Inwiefern sind sie vom Tode betroffen? Was ist der Tod, wenn der Mensch nicht nur Leib ist, aber ohne Leib offensichtlich nicht zu leben vermag? Und was ist der Mensch, wenn der Tod seinen Leib zerstört und damit auch seinem psychischen und geistigen Leben ein zeitliches Ende bereitet?

6. Die Verbindlichkeit einer theologischen Antwort

Bisher haben wir versucht, die Rätselhaftigkeit des Todes durch Fragen auszuleuchten: der Tod, das uns Fremdeste und doch unser Eigenstes — was ist das? Fragen ist ein Ding, Antworten ist ein anderes. Bevor wir einer möglichen Antwort mit weiteren Fragen näher kommen, müssen wir uns darüber klar werden, *welcher Art* eine mögliche Antwort innerhalb dieser Untersuchung sein muß.

Unsere Untersuchung versteht sich als eine *theologische*. Ihre möglichen Antworten gehören in den Bereich der christlichen Dogmatik, also einer dem Glauben an Gott geltenden Wissenschaft. Wissenschaftliche Antworten müssen verbindlich sein, wenn auch auf verschiedene

Weise, je nach Art der Wissenschaft. Die Weise, in der naturwissenschaftliche Erkenntnisse verbindlich sind, ist sehr verschieden von der Weise, in der geisteswissenschaftliche Erkenntnisse verbindlich sind. Die christliche Dogmatik wiederum hat es mit einer Verbindlichkeit eigener Art zu tun. Ihre Verbindlichkeit kann nur die *Verbindlichkeit des Glaubens* sein.

»Nur« heißt hier jedoch keineswegs, daß es sich sozusagen um eine unverbindlichere Art von Verbindlichkeit handelt. Nichts ist verbindlicher als der Glaube an Gott. Und insofern können wir auch sagen: die Verbindlichkeit einer möglichen Antwort muß auf jeden Fall die Verbindlichkeit des Glaubens sein. Und das ist, wie gesagt, eine Verbindlichkeit eigener Art.

Die Verbindlichkeit der Sätze empirischer Wissenschaften erweist sich unter anderem in deren Überprüfbarkeit. Gibt die Überprüfung dem Satz recht, dann ist der Verstand daran gebunden: es stimmt. Die Verbindlichkeit des Glaubens zeichnet sich dadurch aus, daß das *Gewissen* gebunden wird, und zwar so, daß das Gewissen der Sache des Glaubens gewiß wird. Nun ist ein gewisses Gewissen, auch wenn es ein »gutes Gewissen« ist, keineswegs schon immer eine gute Sache. Es kann für andere Menschen durchaus verhängnisvoll werden. Man kann zum Beispiel aus lauter Gewissenhaftigkeit Verbrechen verüben. In einem solchen Fall ist ein »gutes Gewissen« ein in falscher Weise gebundenes Gewissen. Die Möglichkeit ist nicht auszuschließen, daß auch der Glaube — oder besser: das, was man dann dafür hält — das Gewissen in falscher Weise bindet. Daß ein sogenannter Glaube es getan hat, lehrt die Kirchengeschichte. Die Verbindlichkeit des Glaubens bedarf deshalb eines

Kriteriums dafür, daß das durch den Glauben gebundene Gewissen wirklich der Sache des Glaubens gewiß ist, das heißt, daß das Gewissen in rechter Weise gebunden ist. Ein solches Kriterium gibt es. Es ist die *Freiheit*. Und zwar die Freiheit des eigenen Gewissens, die nicht nur als die eigene Freiheit verstanden werden darf. Sie muß vielmehr zugleich und vor allem die Stimme der Freiheit der anderen in mir mit Erfolg zu Gehör bringen.

Die Verbindlichkeit rechten Glaubens ist also eine ebenso von Ungewißheit wie von falschen Bindungen *befreiende* Gewißheit. Der Glaube macht uns der Freiheit gewiß. Er bindet die Gewissen, indem er sie befreit. Denn die Sache des Glaubens ist Gott. Und man kann Gottes nicht gewiß werden, ohne ein befreiter Mensch zu werden. Eine mögliche Antwort auf die Frage nach dem Tod muß also, wenn sie eine verbindliche Antwort des Glaubens sein soll, eine befreiende Antwort sein. Gibt es auf die Frage nach dem Tod keine (von Ungewißheit und falschen Bindungen) *befreiende* Antwort, dann gibt es eben keine verbindliche Antwort *des Glaubens* auf diese Frage.

Bevor wir die Möglichkeit einer solchen Antwort erörtern, ist die Frage nach der *Notwendigkeit* einer solchen Antwort wenigstens zu stellen. Ist es überhaupt notwendig, auf die Frage nach dem Tod eine verbindliche Antwort des Glaubens zu geben?

Eine solche Notwendigkeit besteht. Sie ergibt sich aus zwei verschiedenen Gründen, einem christologischen und einem anthropologischen Grund. Einmal ist der christliche Glaube insgesamt so etwas wie eine Antwort auf die Frage nach dem Tod. Die Kirche verkündigt »den

Tod des Herrn« Jesus Christus in der Erwartung, daß dieser Herr »kommt« (1. Kor. 11, 26). Und zur Verkündigung dieses Todes gehört als Spitzensatz der Siegesruf, der als Frage formuliert in höchstem Maße Antwort zu sein beansprucht: »Wo ist dein Sieg, Tod? Wo ist dein Stachel, Tod?« (1. Kor. 15, 55). Die ganze Verkündigung des Paulus will nichts anderes sein als »Wort vom Kreuz« (1. Kor. 1, 18). Es duldet keinen Zweifel, daß hier die Frage nach dem Tod eine sehr bestimmte, wenn auch sehr eigene und eigentümliche Antwort bekommt, die uns zu beschäftigen haben wird. Auf jeden Fall macht die christliche Verkündigung es der Theologie unmöglich, die Frage nach dem Tod sich selber zu überlassen. Das Wesen des christlichen Glaubens ist davon bestimmt, daß diese Frage eine Antwort gefunden hat. Sie sachgemäß und zeitgemäß zur Sprache zu bringen ist eine notwendige Aufgabe der Theologie.

Der andere Grund, der eine Antwort auf die Frage nach dem Tod notwendig macht, ist anderer Art. Er besteht darin, daß die Frage nach dem Tod den Menschen in einer Weise angeht, die ihn zu gefährlichen Reaktionen verführen kann. Der ohne verbindliche Antwort gelassene Mensch gibt sich Ersatz-Antworten. Dabei ist die schwerwiegende Ungewißheit, in die ein sich selbst überlassenes unbeantwortetes Fragen nach dem Tod den Menschen stürzen kann, noch die ungefährlichste, wenngleich deshalb nicht weniger ernst zu nehmende Antwort. Gefährlicher als die Ungewißheit ist die Gewissenlosigkeit. Es gibt eine gewissenlose Rede oder auch ein gewissenloses Schweigen vom Tod, das eine gewissenhafte Antwort auf die Frage nach dem Tod, wenn eine solche Antwort möglich ist, unbedingt notwendig macht. Man kann zum Beispiel den Tod zur Bagatelle machen, um mit ihm »fertig« zu werden. Doch wer mit dem Tod fertig geworden zu sein behauptet, ist allen Mißtrauens wert. Er sollte vor allem sich selber mißtrauen. Man kann den Tod aber auch in einer das Leben bagatellisierenden Weise groß machen, so daß der Tod liebenswerter erscheint als das Leben oder das Leben nur noch gelebt wird, um sich vom Tod faszinieren zu lassen. Der Tod kann faszinieren — und wie! Man kann dem erliegen. Vor allem aber: man kann das gewissenlos ausnutzen. »Das Leben ist der Güter höchstes nicht« kommt dann verführerisch leicht über die Lippen — immer mit der schon logisch unerträglichen Dummheit oder Verdummung verbunden, daß die angeblich höheren Güter nicht ihrerseits Leben darstellten. Das hat es gegeben. Und was es gegeben hat, bleibt lange gefährlich. Die gewissenlose Rede vom Tod ist lebensgefährlich. Um sie zu verhindern, ist eine verbindliche Antwort auf die Frage nach dem Tod, wenn sie möglich ist, auch notwendig.

II. Der Tod des Andern

Der Tod als soziale Tatsache

1. Das Verhältnis des Lebens zum Tod des Andern

Daß jedes Leben von seinem eigenen Tod weiß, hat uns tiefer ins Fragen hineingeführt. Von einer möglichen Antwort war im vorangehenden Abschnitt die Rede. In diesem Kapitel soll nun noch ein weiterer Schritt vollzogen werden, durch den es möglich wird, von der Frage zu einer theologischen Antwort zu kommen. Wir werden sehen, daß wir damit zugleich in noch größere Schwierigkeiten geraten. Ohne mit Geduld den Schwierigkeiten standzuhalten, geht es in der Wissenschaft — und zumal in der Theologie — nun einmal nicht.

Daß sich das menschliche Leben zum eigenen Tod verhält, hat sich als eine grundlegende Bestimmung des menschlichen Daseins herausgestellt. Es ist aber ebenfalls eine grundlegende Bestimmung des menschlichen Daseins, daß es ein in aller Individualität sich vollziehendes *gemeinschaftliches* Sein ist. Der Mensch ist Mitmensch. »Der Mensch . . . wird nur unter Menschen ein Mensch« (Fichte). Ein als »einziges Lebewesen auf Erden« vorgestellter Mensch wäre kein Mensch. Das ist es, was gegenüber Schelers Darlegungen nunmehr zur Geltung zu bringen ist.

Schelers These von der fundamentalen Bezogenheit des

menschlichen Lebens auf den Tod muß sich nämlich, wenn sie wahr ist, gerade an der Struktur des menschlichen Daseins als eines Seins mit Anderen bewähren. So sehr das Leben des menschlichen Individuums nur unter der Bedingung der Möglichkeit eines gemeinschaftlichen Seins — gleichgültig ob dieses existenziell verfehlt wird oder nicht — individuell sein kann, so sehr ist auch das Verhältnis des Lebenden zu dem höchst eigenen Tod niemals nur ein Privatverhältnis. Ist also das menschliche Leben immer schon ein Verhältnis zum Tod, dann verhält sich auch immer der Andere zu meinem Tod, und umgekehrt ist auch immer mein Leben ein Verhältnis zum Tod des Andern. Der menschliche Tod ist so sehr wie das menschliche Leben eine *soziale* Tatsache. Der vita communis entspricht die mors publica.

Die alte Unsitte der Witwentötung verrät davon etwas; ebenso das dem Selbstmörder so unverständliche staatliche Verbot des Selbstmordes, das den gegen seinen Willen am Leben Gebliebenen gesetzlich bestraft. — Näher erläutert hat das Phänomen Paul Landsberg: Durch den Tod des Andern wird meine Gemeinschaft mit ihm zerbrochen; »aber diese Gemeinschaft war in gewissem Maße *ich selbst,* und in eben diesem Maße dringt der Tod in das Innere meiner eigenen Existenz ein . . .«

Das von Scheler auf den Begriff des »Erlebnisses der Todesrichtung« gebrachte Phänomen gilt keineswegs nur vom Verhältnis des eigenen Lebens zum eigenen Tod. Man wird darüber hinaus die Bezogenheit des »Erlebnisses der Todesrichtung« auf das Leben und auf den Tod des Anderen freizulegen haben, und zwar vorzüglich aufgrund der Zeitlichkeitsstruktur dieses Erlebnisses. Denn als zeitlich strukturierte ist die Todesrichtung meines Lebens von Bedeutung auch für das Leben der Anderen, und die Todesrichtung des Lebens Anderer bestimmt immer auch schon meine eigene Existenz. Man muß da nicht gleich ans Beerben denken. Sondern eher daran, daß der Andere nicht unbegrenzt für mich Zeit hat — auch und gerade dann nicht, wenn er unbegrenzt für mich Zeit haben will —, und daß umgekehrt, indem mir meine Zeit mehr und mehr genommen wird, damit eben diese meine Zeit auch anderen Menschen entzogen wird. Die Zeit, die ich nicht mehr für mich habe, habe ich auch nicht mehr für Andere. So sind wir — lebend zuhöchst aufeinander bezogen — erst recht durch die uns bestimmende Negation zutiefst miteinander verflochten. Wir erleben nicht erst den Tod des Gestorbenen, sondern schon die Todesrichtung des Lebens des Anderen als etwas unser eigenes Dasein Betreffendes. Erst die Betroffenheit durch einen Todesfall mag das dann existenziell zum Ausdruck bringen. Doch was als Ernstfall im tödlichen Augenblick Ereignis wird, ist im ganzen Ernst der Erfahrung des Noch-Ausstehens dieses Augenblicks in jedem Augenblick des Lebens anwesend. Der Tod des Anderen, insbesondere der des Nächsten, ist ein mein Dasein betreffender Verlust von Möglichkeiten meines eigenen Existierens. Die Drohung dieses Verlustes von Möglichkeiten durch den Tod des Andern bestimmt das menschliche Dasein. Dabei erweist sich das Dasein als ein auf Zeit angelegtes, als ein geschichtliches. Bei der Beurteilung biologischer Informationen hat sich das bereits unter dem Aspekt des drohenden eigenen Todes erwiesen.

2. Die Einstellung zum Tod

Wie *soziologische* Ergebnisse zeigen, scheint nun aber unser Grundsatz, daß menschliches Sein immer gemeinschaftliches Sein ist, in seiner Anwendung auf das Verhältnis des menschlichen Lebens zum Tod nur in einem für dieses Verhältnis negativen Sinn bestätigt zu werden. Hatten wir grundsätzlich festgestellt, daß das Verhältnis des Menschen zum Tod immer auch ein Verhältnis zum Tod des Andern ist, so konstatiert die Soziologie, daß eine Einstellung des Menschen zum Tod immer mehr fehlt, weil der Tod des Andern immer weniger erlebt wird.

Denn seit geraumer Zeit wandelt sich in der abendländisch bestimmten Welt tiefgreifend die Einstellung zum Tod. Ihre Grundtendenz läuft immer stärker darauf hinaus, daß der Tod als Tod aus der Gesellschaft verschwindet, kulturell und sozial unsichtbar wird. Das Todesbewußtsein wird sozusagen an Institutionen (wie Krankenhaus, Altersheim, Bestattungsinstitut) delegiert, die ein gesellschaftlich vermitteltes Todesbewußtsein weitgehend auslöschen. Der Todeskontakt ist nur noch indirekt da. Der direkte Todeskontakt bleibt auf wenige Gruppen beschränkt.

Alois Hahn hat diesen Sachverhalt untersucht und festgestellt, daß einfache Gesellschaften einen großen direkten und einen geringen indirekten, komplexe Gesellschaften hingegen umgekehrt einen großen indirekten und nur einen geringen direkten Kontakt mit dem Tode haben. In unserer immer komplexer werdenden Gesellschaft erfahren wir »über Zeitungen, Rundfunk, Illustrierte usw. täglich von Todesfällen aller möglichen

Menschen in aller Welt, bekannter und unbekannter, ohne daß wir zum Beispiel des Leichnams direkt ansichtig würden. Demgegenüber ist die Zahl von Menschen, von deren Tod der einzelne in primitiven Gesellschaften erfährt, geringer. Diese Kenntnis aber ist in der Regel unmittelbar erworben und impliziert vor allem den direkten Kontakt mit dem Leichnam.«

Der Todeskontakt für einen Menschen der heutigen Gesellschaft hat sich aber nicht nur seiner Quantität nach verändert, sondern auch seiner Qualität nach. Was heißt das?

Der Tod eines Anderen bedeutet mir nun weniger. Denn in unserer komplexen Gesellschaft erfüllt der Andere für mich eine Rolle, die schnell anders besetzt werden kann, ja das Ereignis gleicht einem gewöhnlichen Stellenwechsel mit Neubesetzung. Der andere Mensch ist für mich nicht mehr unersetzlich.

Soweit er es doch noch ist, trifft mich sein Tod tiefer. Nun sind aber Menschen, zu denen ich eine solch enge Beziehung habe, in unserer Gesellschaft meist in meiner eigenen Altersgruppe zu finden. Das heißt, der Tod wird für mich erst zum Erlebnis, wenn meine Altersgruppe in den Bereich des Sterbens rückt, oder bei seltenen Unglücksfällen. Die Gruppe der Alten, die früher ganz anders mit der übrigen Gesellschaft verbunden und auf sie bezogen war, existiert heute weitgehend isoliert. Und ebenso isoliert ist weitgehend auch das Erlebnis des Todes. — Inwiefern dadurch die noch stattfindende »Beschäftigung« mit dem Tod notwendig künstlich wird und zu einer Brutalisierung des Todesbildes führt, die dann sehr reale brutale Einstellungen zum Leben und zum Tod auslösen kann, läßt sich immerhin fragen.

Daß der Tod im Bewußtsein unserer Gesellschaft weitgehend nur noch indirekt vorkommt, ist eine Folge der Entstehung der bürgerlichen Gesellschaft mit ihrem spezifischen Pathos der Rationalität und Autonomie, das alles für durchschaubar und beherrschbar erklärte und eben dabei allein durch den Tod noch grundsätzlich und empfindlich irritiert werden konnte. Die für das Selbstverständnis des Bürgertums so entscheidende Position aufklärender und aufgeklärter Sicherheit wurde nur durch den Tod noch bedroht. Scheint doch — wie Bernhard Groethuysen für das französische Bürgertum herausgearbeitet hat — der Bürger »alle Sicherheit ... zu verlieren, sobald es ans Sterben geht; er vermag dem Tod nicht ins Angesicht zu schauen . . . Der gebildete Laie möchte am liebsten überhaupt nicht davon sprechen.« Ein verschwiegener Tod zehrt allerdings an der Kraft zum Genuß des Lebens. So stirbt man denn auch, wie Max Weber formulierte, nicht eigentlich lebenssatt, sondern eher lebensmüde.

Dieser Vorgang ist immer intensiver geworden und bestimmt unsere Einstellung zum Tod in hohem Maße. Ich zitiere aus einigen einschlägigen neueren Arbeiten. »Unsere Großväter setzten noch mit der größten Selbstverständlichkeit ihren letzten Willen auf. Um ihr Sterbebett versammelte sich die ganze Familie. Ihr Begräbnis war ein Ereignis. Unsere Zeit hat den Tod aus dem öffentlichen Leben verbannt« (Faller). Es ist bereits ein »Topos unserer Kultur, den Tod als Unglücksfall, als Kunstfehler der medizinisch-technischen Anstrengungen darzustellen, die zu seiner Abwendung unternommen werden« (v. Ferber). »Der öffentlichen Aufgabe der Technik der Todesvermeidung entspricht die Privatisierung des Todes.« Damit verbunden ist die Tendenz, den Trauerfall aus dem öffentlichen Bewußtsein zu eliminieren. Das kann durchaus auch durch die Inszenierung eines Staatsbegräbnisses geschehen, die den Trauerfall zum — respektablen — Schauspiel macht, aber ach, zum Schauspiel nur! »Der Trauernde hat keinen Status mehr« (Bally). Auch da, wo man Zukunft utopisch antezipiert, plant man den Tod sorgfältig aus. »Es ist seltsam, wie wenig in den üblichen Zukunftsutopien heute vom Tod des Menschen und dem Tod der Geschichte die Rede ist. Der Tod wird verdrängt, und gesprochen wird von einer Art Superwohlstandsgesellschaft mit wenig Arbeit, viel Automation, Ausgemerztheit der Krankheit, langem Leben, völliger Gleichheit der Geschlechter, deren Differenz fast ausgeglichen ist, von einer Gesellschaft, in der innerlich und äußerlich alle Konflikte... ausgerottet« sind (Rahner). Tod ist ein Konfliktsfall erster Ordnung und darf deshalb nicht sein. Was man für morgen entwirft, wünscht man sich freilich schon heute.

So begegnet man denn zwar noch allerlei Bearbeitungen des Todes, die diesen dem Leben anpassen sollen. Aber ein dem Leben angepaßter Tod wird als Tod verpaßt. Je mehr man den Tod bearbeitet, desto weniger kann man ihn verarbeiten. Der Tod wird weggeschminkt und ist nicht nur in Hollywood schön. Auch Europa hat längst seine Todes-Kosmetik, wenngleich eine etwas geschmackvollere. Kurz: in seiner Einstellung zum Tod tendiert man immer mehr dahin, sich auf den Tod gerade *nicht einzustellen*. Man stellt ihn weg.

Nun wird man sich allerdings hüten müssen, diesen Sachverhalt im präzisen Sinn als *Verdrängung* des Todes zu interpretieren, wie das seit Max Scheler spätestens mehrfach versucht wurde und auch heute oft genug geschieht. Gegen diese »konservative« kulturkritische, beziehungsweise kulturpessimistische These von der Todesverdrängung ist nicht ohne Grund neuerdings energisch protestiert worden.

Alois Hahn hat darauf hingewiesen, daß die These ihre Probe nicht besteht: »In dem Augenblick, wo der Tod als unmittelbar bevorstehende Drohung empfunden wird und somit zum Moment der signifikanten ›Relevanzstruktur‹ des Daseins wird, wird er auch Gesprächsstoff und wird nach Möglichkeiten seiner Sinngebung gesucht.« In Altersheimen wird an den Tod gedacht und über ihn gesprochen. Daß die anderen Altersgruppen weitgehend den Tod verschweigen, liegt daran, daß er für sie noch nicht zum Erlebnis wurde. Damit — und nicht mit einer Verdrängung — hängt dann allerdings zusammen, daß aufgrund einer »fundamentalen Wandlung im Erleben der zeitlichen Struktur des Daseins« der Tod als »verbindlicher Aspekt der eigenen Identität« verlorengegangen ist.

Stärker ausgebaut hat die Polemik gegen die These von der Verdrängung des Todes dann Werner Fuchs. Auf seinen dabei verwendeten Zielbegriff des natürlichen Todes werden wir im letzten Kapitel noch zu sprechen kommen. Die von Fuchs ermittelte gegenwärtige »Beliebigkeit und Variabilität der Todesbilder« ist aber ein Indiz für eine nicht vorhandene, allererst zu gewinnende (neue) *Einstellung zum Tode.* Insofern ändert auch die Polemik gegen die Verdrängungsthese nichts an unserer These: die Einstellung zum Tode tendiert eher dahin, sich auf den Tod gerade nicht einzustellen.

3. Die theologische Vorstellung der Auferstehung angesichts der fehlenden Einstellung zum Tod

Wenn die Theologie eine verbindliche Antwort auf das Rätsel des Todes gibt, so springt sie dabei aus dem Zusammenhang der bisher verhandelten Erkenntnisse nicht heraus. Doch wie würde eine theologische Antwort üblicherweise lauten?

Die Antwort, die sich für einen Christen nahelegt, lautet: Auferstehung von den Toten. Denn der christliche Glaube lebt, so wird vielfach behauptet, von der Hoffnung auf die Auferstehung der Toten. Die Hoffnung auf die Auferstehung droht nun allerdings je länger je mehr als Illusion beurteilt zu werden. Existieren wir doch in unserer Gegenwart sehr viel mehr von unserer Vergangenheit her als aus einer möglichen Zukunft. In der dem christlichen Glauben entfremdeten Welt sind die Toten — trotz aller Fortschritte unseres Wissens und Könnens — mächtiger als die Lebenden. So beeinflussen zum Beispiel die Werke verstorbener Wissenschaftler die Entscheidungen heutiger Politiker nachhaltig. Schon Auguste Comte hat konstatiert, »daß die Weltgeschichte in ihrem Verlaufe immer mehr und mehr durch die Toten und immer weniger durch die Lebendigen bestimmt und gelenkt« wird. Daß so unser Verhältnis zur Zukunft von der schweren Last schon gelebten Lebens immer mehr festgelegt wird, mag seinen Teil dazu beigetragen haben, daß der allgemeine »Glaube« an ein wie auch immer zu denkendes ewiges Leben unzeitig wird.

Droht von dieser schwindenden allgemeinen Voraussetzung her auch dem christlichen Glauben mit seiner Hoffnung auf Auferstehung der Toten eine Art Alterstod? Meinungsumfragen haben zwar ergeben, daß weit über 40 Prozent der Erwachsenen in der Bundesrepublik Deutschland — wie mag es in der DDR sein? — an ein Leben nach dem Tod »glauben«. Doch dieser »Glaube« hat wenig oder keine die Lebensformen einer Welt gestaltende Kraft mehr, wodurch er sich von einem entsprechenden Glauben zum Beispiel im Mittelalter grundlegend unterscheidet. Und eben diese — auch in anderer Hinsicht verifizierbare — *Kraftlosigkeit* des bei einem beachtlichen Prozentsatz moderner Menschen noch vorhandenen »Glaubens« ist es, die sich in der Tatsache spiegelt, daß eine nicht weniger Beachtung verdienende Zahl von Zeitgenossen von einem Leben nach dem Tod nichts hält, von einer Auferstehung der Toten ganz zu schweigen.

Es ist gerade die im vorangehenden Abschnitt dargestellte Veränderung der *Einstellung* zum Tod, die als Grund für diese Kraftlosigkeit der *Vorstellung* einer Auferstehung zu nennen ist. »Der moderne Mensch glaubt in dem Maße und so weit nicht mehr an ein Fortleben und an eine Überwindung des Todes im Fortleben, als er seinen Tod nicht mehr anschaulich vor sich sieht ... Wo aber der Tod selbst in dieser unmittelbaren Form nicht gegeben ist, ... *da muß auch die Idee einer Überwindung des Todes im Fortleben verblassen*« (Scheler). Verblassende Vorstellungen entsprechen genau einer verschwindenden Einstellung. Und so reflektieren die sich wandelnden Vorstellungen über Leben und Tod die Veränderungen der menschlichen Einstellung zu Leben und Tod. Fehlt die Einstellung, dann klappern die Vorstellungen, bis sie schließlich selber dafür sorgen, daß das Vorgestellte unvorstellbar, unverständlich wird.

Das muß die christliche Verkündigung ernst nehmen; denn den Glauben kann und will sie nicht *fordern*, sondern sie will ihn *ermöglichen*. Hier steht die Freiheit des Glaubens und damit seine Verbindlichkeit auf dem Spiel. Könnte und dürfte man so etwas wie Glauben an die Auferstehung *fordern*, etwa kraft eines kirchlichen Lehramtes, dann wäre eine solche hermeneutische Reflexion in der Theologie überflüssig: über die Bedingungen des Verstehens müßte man nicht nachdenken. Es ist — Gott sei Dank! — anders. Wer statt Glauben zu fordern Glauben *ermöglichen* will, hat sich den Aporien der Zeit zu stellen, die den Glauben zu verunmöglichen drohen. Da hilft keine pauschale Beschwörung des Heiligen Geistes. Die christliche Verkündigung muß sich wohl oder übel (nein: nicht übel, sondern: sehr wohl) Rechenschaft darüber geben, *was* für Wunder es sind, die der Heilige Geist wirken muß, wenn die christliche Rede von Gott den Unglauben (und nicht nur ihn) erreichen können soll. Und man wird dabei wohl bedenken müssen, daß der Heilige Geist seine Wunder nicht trotz, sondern wegen der christlichen Verkündigung wirkt, daß also unsere Verkündigung selber sich durchaus mit der faktischen Situation des Zeitgeistes zu befassen hat. Nicht, indem sie sich von ihm faszinieren oder zur Resignation bringen läßt, sondern indem sie an dieser faktischen Situation des Zeitgeistes und damit am Geist der Zeit von morgen *arbeitet*. Hier gilt nicht nur »ora!« als Remedium, sondern eben: »*et labora!*«

In Kenntnis dieser Aufgabe wird man sich nun allerdings noch einmal zu besinnen haben, ob die sich zunächst nahelegende christliche Antwort auf das Todesrätsel richtig war. Lebt der christliche Glaube wirklich von der Hoffnung auf eine Auferstehung der Toten? Sieht man genauer hin, so kann man doch wohl nur sagen, daß der christliche Glaube von der *Auferstehung Jesu Christi* lebt.

Was das für ein Unterschied sei? Zunächst ein feiner, nämlich der Unterschied zwischen Einem und Allen. In diesem feinen Unterschied ist allerdings die Unterscheidung zwischen Gott und Mensch beschlossen, ohne die es keinen christlichen Glauben gibt. Die Auferweckung Jesu von den Toten definiert diesen nämlich, wie eine alte Formel sagt, als Gottes Sohn, der, wie Paulus sofort interpretiert, als solcher aller Menschen Herr ist (Röm. 1,3f). Das aber kann man so sonst von keinem Menschen sagen, auch nicht im Blick auf die für alle Menschen erwartete Totenauferstehung. Vielmehr gilt, daß der Glaube an den von den Toten auferweckten Gottessohn Jesus Christus zur Hoffnung auf die Auferstehung aller Menschen allererst berechtigt und ermächtigt, gleichgültig ob sie ohnehin schon auf dergleichen hoffen oder nicht. Dann aber lebt der christliche Glaube nicht von der Hoffnung auf die Auferstehung der Toten, sondern die Hoffnung auf Auferstehung lebt vom Glauben an Jesus Christus, also vom Glauben an den einen durch die Auferstehung von den Toten als Sohn Gottes und als unser Herr definierten Menschen Jesus von Nazareth. Und das ist nun eben nicht nur ein feiner, sondern zugleich ein entscheidender Unterschied. Man wird ihn sich merken müssen.

Die hermeneutischen Schwierigkeiten sind damit aber noch keineswegs behoben. Im Gegenteil! Denn die heute weithin anzutreffende Fragwürdigkeit des Auferstehungsgedankens überhaupt problematisiert nun eben auch die Rede von der Auferstehung Jesu. Und das ist bezeichnend. Wäre so etwas wie Auferstehung ein allgemein einleuchtender Sachverhalt, so würde heutzutage an der Auferstehung Jesu, auch wenn sie sozusagen etwas verfrüht geschah, wenig Anstoß genommen. Aber daß diese Auferstehung des *Einen* das *allgemeine* Phänomen Auferstehung allererst begründen soll, das ist ein Ärgernis. Und insofern ist von der Fragwürdigkeit des allgemeinen Auferstehungsgedankens her der Glaube an die Auferstehung Jesu einer kaum zu überbietenden Skepsis ausgesetzt. »Selten ist ein unglaubliches Factum schlechter bezeugt, niemals ein schlecht bezeugtes an sich unglaublicher gewesen«, urteilte schon David Friedrich Strauß.

Damit stehen wir aber vor einem Zirkel. Denn während uns gerade der Glaube an die Auferstehung Jesu unserer eigenen Auferstehung gewiß zu machen verspricht, macht die Fragwürdigkeit des allgemeinen Gedankens einer zu erwartenden Auferstehung aller Toten eben den Glauben an die Auferstehung Jesu problematisch. Das Gewißmachende scheint zugleich das Ungewisseste zu sein.

Nun entscheidet allerdings die Statistik nicht über die Wahrheit. Auch soziologische Untersuchungen über den Unsterblichkeitsglauben besagen »weder positiv noch negativ etwas über die (theologische) Wahrheit des Unsterblichkeitsglaubens« (Hahn). Erst recht bleibt das Ereignis der Auferstehung Jesu in seiner Wahrheit ganz und gar unberührt davon, was die Meinungsumfrage über den »Glauben« der Deutschen in der heutigen Zeit ergibt. Wohl aber ist die Beziehung zwischen jenem Er-

eignis und unserem Leben vom Zeitgeist tangiert. Wollen wir das von uns unabhängige Ereignis verstehen (und nur als verstandenes kommt es uns zugute), so können wir den sich wandelnden Zeitgeist nicht ignorieren. Die Theologie hat deshalb, wenn die Vorstellung von der Auferstehung der Toten unvollziehbar zu werden droht oder schon geworden ist, die Auferstehung Jesu neu und das heißt so zur Sprache zu bringen, daß sie eine neue Einstellung der menschlichen Existenz zu Tod und Leben provoziert. Soll die Verkündigung der Auferstehung Jesu Christi dem Glauben zugute kommen, dann muß die Theologie ein Todesverständnis gewinnen, das eine *Einstellung* zum Tod allererst wieder möglich macht. Ein solches Todesverständnis kann aber nur am Tode Jesu Christi gewonnen werden. —
Daraus folgt: nur wenn der Tod Jesu Christi als ein unser Leben betreffendes Ereignis derart verständlich wird, daß unserem Leben eine neue Einstellung zum Tode möglich wird, kann der Glaube an die Auferstehung Jesu als Hoffnung auf unser aller Auferstehung neue Kraft gewinnen. Es kommt theologisch also alles darauf an, daß es in der Begegnung mit dem Tod Jesu Christi zu einer neuen Einstellung zum Faktum des Todes kommt.

III. DER TOD DES SOKRATES

Der Tod als Trennung von Leib und Seele

1. Zum Abschied von einer Vorstellung

Nicht nur von schwindender Einstellung zum Tod ist der christliche Glaube bedroht, sondern auch von fremden Vorstellungen, die sich im christlichen Todesverständnis eingenistet haben. Wir wollen eine solche Vorstellung in diesem Kapitel gründlich darstellen, um von ihr Abschied nehmen zu können. Erst dann werden wir freien Raum für ein biblisches Todesverständnis gewonnen haben.

Es gehört zu den Bedingungen der leiblichen Existenz des Menschen, so belehrten uns die Mediziner, daß der Mensch jederzeit aufhören kann und irgendwann einmal aufhören muß, leiblich zu existieren. Das bedeutet: der Mensch stirbt, weil und insofern er einen Leib hat, besser: weil und insofern er Leib ist. Aus diesem Sachverhalt kann nun verschieden, ja gegensätzlich gefolgert werden:

a) Wenn der Mensch stirbt, weil und insofern er Leib ist, dann legt sich die Konsequenz nahe, daß der Mensch nicht stirbt, weil und insofern er *noch etwas anderes als Leib*, weil und insofern er *Seele oder Geist* ist. Dem sterblichen Leib des Menschen stünde dann seine unsterbliche Seele (bzw. sein unsterblicher Geist) gegenüber.

b) Wenn der Mensch stirbt, weil und insofern er Leib ist, dann ließe sich aber auch umgekehrt folgern, daß im Leib und als Leib der *ganze Mensch* dem Tode ausgesetzt ist.

Im Sinne der zuerst genannten Position, nach der die Seele des Menschen ohne zeitliches Ende gedacht und in diesem Sinn als unsterblich oder doch unzerstörbar behauptet wird, hat die altkirchliche, die mittelalterliche und weitgehend auch die neuzeitliche Theologie gelehrt. Erst in neuerer Zeit haben evangelische Theologen entschieden protestiert gegen diese Lehre. Der Protest konnte allerdings nicht nur dem mit der Lehre von der Unsterblichkeit oder Unzerstörbarkeit der Seele verbundenen Todesverständnis gelten, sondern mußte sich gegen die ganze Anthropologie wenden, durch die dieses Todesverständnis begründet war. Dies war um so schwieriger, als die die Lehre von der Unzerstörbarkeit der Seele begründende Anthropologie sich längst mit biblischen Sprachformen assoziiert hatte, so daß das Bemühen um eine theologische Anthropologie die biblische Sprache weithin als Waffe des Gegners vorfand, deren Besitz es diesem streitig zu machen galt. Die theologische Anthropologie mußte sich im Streit um das rechte Verständnis des Todes ihre eigene Waffe erst zurückerobern. Ihr Gegner war eine Tradition, die mit gutem Grund als die mächtigste Tradition im Denken Europas bezeichnet worden ist. Wir reden von Platon und seinen Folgen.

2. Die Unsterblichkeit der Seele —
das Vermächtnis des Sokrates

Der junge Aristoteles vergleicht in seinem ›Protreptikos‹, einer Mahnrede zur Philosophie, die menschliche Seele in ihrem Verhältnis zum Leben ihres Leibes mit dem Geschick der Gefangenen etruskischer Seeräuber. Die etruskischen Seeräuber waren besonders unerfreuliche Räuber; das zeigte sich vor allem in ihrem Umgang mit Gefangenen. Denn die »Räuber banden ihre Gefangenen, um sie zu quälen, lebendigen Leibes an Leichen, Angesicht gegen Angesicht. In dieser gewaltsamen Verkettung des Lebens mit der Verwesung ließen sie ihre Opfer allmählich dahinschmachten.« So wie die an Leichen geketteten Gefangenen der etruskischen Seeräuber existieren also nach Aristoteles die menschlichen Seelen in ihren Leibern. Das Leben eines Menschen gleicht in dieser makabren Parabel der unfreiwilligen Bindung an die Vergänglichkeit. Damit wird der wirkliche Tod des Menschen aussagbar als *Befreiung* von dieser Bindung, durch die die Seele an der Vergänglichkeit der Leiber teilhat. »Das Leben wird zum Tod der Seele, der Tod wird Durchbruch zu höherem Leben« (Jaeger). Der junge Aristoteles hat mit diesem Gleichnis in grellen Farben eine Theorie eingefangen, die er in der Schule seines großen Lehrers Platon kennengelernt hatte. Platon selber hat sich mehrfach zur Sache geäußert. Seine Äußerungen über den Tod bringen allemal eine Anthropologie zur Geltung, die den Menschen als ein zur *Erkenntnis* bestimmtes Wesen kennt. Nach Platon gehört nicht eigentlich die Erkenntnis zum Menschen, sondern der Mensch zur Erkenntnis. Insofern gibt es auch strenggenommen keine platonische *Anthropologie,* sondern nur einen anthropologischen Aspekt der platonischen Ontologie. Das Wesen des Menschen wird hier aus dem Wesen des Erkennens gedacht. Und aus dem Wesen des Erkennens ist hier auch der Tod des Menschen verstanden, der auf jeden Fall alles andere ist als das Ende des Menschen.

Die platonischen Äußerungen über den Tod haben seit je einen unvergleichlichen Eindruck gemacht; und auch heute noch kann man sich ihrer Wirkung nur schwer entziehen. Eine Theologie oder Philosophie, die die platonische Versuchung nicht kennt, kennt sich selber nicht, oder aber sie ist ihres Namens nicht wert. Das gilt auch und vor allem im Blick auf die Äußerungen Platons über den Tod. Es ist nicht nur die unnachahmliche Einheit zwischen dem strengen Gang der Gedanken, einer unerhörten sprachlichen Lust zum anmutigen Streit miteinander eben noch ringender und schon wieder spielender Wörter und einem gleichermaßen metaphysischen und politischen Willen zur Wahrheit, sondern es ist in dem allem zugleich die durch den Tod eines Anderen ausgelöste existenzielle Bewegung, die über Jahrtausende hinweg anspricht und betroffen macht. Was Platon dachte, verdankt sich in einem nicht nachmeßbaren Maß und in einer kaum nachzuempfindenden Weise dem Tod des Sokrates.

Aus den platonischen Texten, die vom Tod des Sokrates sprechen, sind am geschichtswirksamsten die im Zusammenhang mit seiner Hinrichtung aus dem Munde des Lehrers selbst zu vernehmenden Reden geworden. Sie stehen im Dialog »Phaidon«, genannt nach einem von Sokrates offensichtlich nicht wenig geliebten jungen

Schüler des Meisters. Nicht zufällig gab Platon dem Dialog über den Tod den Namen gerade dieses Schülers: Liebe und Tod, so deutet er an, verknüpft eine im Gegensatz sich einende Spannung (nach Paul Friedländer). Im Dialog »Phaidon« wird der Tod beschrieben als »Trennung der Seele vom Leibe« (64 c). Die Definition wird vom platonischen Sokrates als bekannt und selbstverständlich richtig vorausgesetzt. Sie ist auch in der Christenheit lange Zeit selbstverständlich gewesen, so daß man behauptet hat, sie sei, »theologisch gesehen, als die klassisch gewordene theologische Beschreibung des Todes« anzusehen (K. Rahner). Die Umschreibung des Todes als Trennung von Leib und Seele kann verschieden interpretiert werden. Sokrates hatte sich im »Phaidon« zum Beispiel mit der Meinung auseinanderzusetzen, daß die vom Leib getrennte Seele noch schneller als der von ihr getrennte Leib vergehen würde (sozusagen verpuffen »wie ein Hauch oder Rauch« — 70a). Gerade solche Vermutungen veranlassen den platonischen Sokrates, die Beschreibung des Todes als Trennung der Seele vom Leib so zu interpretieren, daß die vom Leib getrennte Seele unsterblich und unzerstörbar gedacht werden muß. Eine ganze Kette von »Beweisen« liegt im »Phaidon« vor. Ihr Ziel ist es, die Trennung von Seele und Leib als eine »Läuterung« der Seele zu interpretieren, auf die der Philosoph sich freuen kann. Voraussetzung dieser Interpretation ist die Anschauung vom Leib als Gegenteil der Seele, der zwar seinerseits, um zu sein, auf die Seele als das ihn belebende Prinzip angewiesen ist, umgekehrt aber die Seele bei ihrem ureigensten Geschäft ständig behindert. Dieses Geschäft der Seele ist das Erkennen im Sinne der Schau dessen, was eigentlich ist. Im Erkennen löst sich die Seele allemal von den vergänglichen Erscheinungen und wendet sich den »Sachen selber« zu, die unvergänglich sind. Der Leib jedoch hindert die erkennende Seele daran, sich ganz von den Erscheinungen abzuwenden. Seine Sinne vermitteln trügerische »Erkenntnis« und halten so .von der wahren Erkenntnis ab. So wie der Leib aber, auf Vergängliches sich richtend, selber vergänglich ist, so ist die Seele, auf Unvergängliches sich richtend, selber unsterblich und unzerstörbar. Wenn deshalb der Tod »an den Menschen herantritt, so stirbt ... das Sterbliche an ihm, das Unsterbliche und Unzerstörbare jedoch zieht wohlbehalten ab, dem Tod aus dem Wege« (106 e). Die Seele kann nun ungehindert ihrem Wesenszug folgen und erkennen, was wahr ist.

Am Anfang des Dialogs »Phaidon« wird Sokrates von dem das Gift verwaltenden Wärter ermahnt, möglichst wenig zu reden, weil das Gift sonst nicht schnell genug wirke und zwei- oder dreimal gereicht werden müsse. Sokrates antwortet darauf, man solle dann eben »sogar zwei- und dreimal« den Gifttrank bereiten (63 e). Wichtig ist ihm nur, wie er wenig später sagt, daß der die Wahrheit erkennende Dialog (der »Logos«) nicht stirbt (89 b). Die Szene ist vielsagend. Zunächst ist mit der Wendung »sogar zwei- und dreimal« an ein Sprichwort erinnert, das Platon auch sonst zitiert; es lautet: »Sogar zwei- und dreimal — *das Gute«*. Sogar zweimal und dreimal das todbringende Gift zu erbitten heißt also: den Tod als eine Wohltat erwarten. Der sterbende Sokrates befiehlt denn auch zuletzt, dem Asklepios einen Hahn zu opfern — wie man es tut, wenn man von einer Krankheit gesundet. Der Tod ist also für den aus dem

Wesen der Erkenntnis gedachten Menschen eine *Befreiung*. Der Tod ist als Trennung der Seele vom Leib die Befreiung der Seele zu sich selbst.

Der Tod als Fest der Freiheit — der Gedanke hatte offensichtlich auch für Platon etwas Berauschendes. Deshalb überbietet er die Neigung, dieses Fest der Freiheit selber herbeizuführen, durch die Verantwortung für den Logos, der nicht sterben darf und für den der Mensch lebend bis zum letzten Augenblick zu sorgen hat. Ja die künftige Freiheit der Seele bemißt sich — so zeigt ein von Sokrates erzählter Mythos — nach dem Maß der Bemühung um Erkenntnis im Leben (113 d). Die Wohltat des Todes wird sich also niemand selber mit Gewalt verschaffen. Die Menschen sind vielmehr wie auf einer Wacht, aus der davonzugehen ihnen verwehrt ist. Die Vollendung des Todes vor Augen zu haben bedeutet gerade nicht, sie willkürlich herbeizuführen. Die Sorge für den Logos verweist den Menschen vom Tod vielmehr zurück »an das Leben..., das diesem Tod ins Gesicht sieht« (Friedländer) — wie im Höhlengleichnis. Das Leben bis zum Tod soll seinerseits so gut wie nur irgend möglich der Erkenntnis dienen. Wohl wird die reine Erkenntnis nur von der vom Leib gelösten Seele vollzogen, aber das Leben soll Einübung dieses Zustandes sein. Obgleich also der Philo-sophos seine geliebte Sophia erst im Tode hat, kann doch sein Leben der Liebe zur Weisheit dienen, indem er die Seele schon jetzt so viel wie möglich vom Leib reinzuhalten versucht — bis der Gott selbst ihn erlöst. Was der Tod vollzieht, die Lösung der Seele vom Leib, das wird für den Philosophen zum Modell seines Lebens.

»Tota enim philosophorum vita commentatio mortis

est« — »denn das ganze Leben der Philosophen ist ein Todesgedenken«, referiert später Cicero diesen Gedanken. »Commentatio mortis« ist aber nicht passive Meditation, sondern eben — man denke an die aufreizenden und ja schließlich auch zum Todesurteil führenden Disputationen des Sokrates — ein tätiger Streit der Seele um Erkenntnis. Als Trennung der Seele vom Leib zeigt der Tod, was rechtes Erkennen heißt: die Seele, vom Leibe befreit, zu sich selbst kommen zu lassen. »Memento mori« heißt »gnothi sauton«. »Denke daran, daß du stirbst« — der dunkle Rat, mit dem Trappisten sich später begrüßten, mündet in die alte delphische Mahnung: »Erkenne dich selbst«.

3. Der Tod und die Erkenntnis — eine Verhältnisbestimmung

Memento mori heißt gnothi sauton. — Im römischen Nationalmuseum hängt ein altes Mosaik, das uns das klassische philosophische Verständnis des Todes eindrücklich erkennen läßt. Die Gestalt eines Menschen ist darauf zu sehen, der zwar noch nicht nur Skelett, aber überwiegend schon Skelett ist. Er mag noch mit Haut und Muskeln versehen sein, wie denn auch seine Körperhaltung — mehr liegend als sitzend — noch Bewegung, noch Leben zum Ausdruck bringt. Aber die den Körper noch durchlaufende Bewegung bewegt sich weg von diesem. Leben und Bewegung bringt diese menschliche Gestalt offensichtlich nur zum Ausdruck, um auf deren Ende und Abbruch, auf Leblosigkeit und Totenstarre hinweisen zu können. Fleisch und Muskeln sind nur an-

gedeutet, um auf das Knochengerüst darunter hinzudeu-
ten, das am Ende übrig bleibt und deshalb schon in dieser Abbildung eines noch lebenden Menschen beherr-
schend hervortritt. Der gerade noch Sitzende, aber mehr
noch fast Liegende, der gerade noch Fleischliche, aber
viel mehr noch fast schon Entleibte, der gerade noch sich
Bewegende, aber mehr noch fast schon Tote — das ist
der Mensch. Alles bewegt sich in diesem Mosaik weg von
der Bewegung, weg von Fleisch und Blut, weg vom leiblichen Leben. Alles deutet weg in den Tod. Memento
mori — das könnte unter diesem Bilde stehen.

Aber unter der vom Tode gezeichneten Menschengestalt
steht in großen griechischen Buchstaben GNOTHI
SAUTON! Die beiden Wörter sind keine Unterschrift,
bilden keinen »Titel« für das »Bild«, sondern gehören,
nahezu ein Drittel der Fläche des ganzen Mosaiks be-
anspruchend, in dieses hinein. Denn das Einzige, was an
dem hier abgebildeten Menschen wirklich ganz lebendig
und sozusagen der Zielpunkt der die Gestalt noch durch-
laufenden Bewegung ist, das ist ein anatomisch unpro-
portioniert, aber ästhetisch durchaus wohlproportioniert
großer Zeigefinger, mit dem der den Tod anschaulich
machende Mensch auf eben diese beiden Wörter weist:
GNOTHI SAUTON, erkenne dich selbst.

Das Mosaik appelliert. Es will den Betrachter unmittelbar anreden. Es hat eine Mitteilung zu machen. Offensichtlich soll hier der dem Menschen — jedem der dieses
Mosaik betrachtenden Menschen — zweifellos bevorstehende Tod zur Selbsterkenntnis nötigen. Der Lebende
wird nicht etwa, weil er lebt, sondern weil er zu leben
aufhören wird, aufgerufen, sich selbst zu erkennen. Der
Betrachter gehört, das ist wichtig, notwendig hinzu zum

Mosaik. Die Konfrontation mit dem Bild konfrontiert ihn mit seinem Tod, und die Konfrontation mit seinem Tod soll ihn mit sich selber konfrontieren: erkenne dich selbst. »Memento mori« läßt sich also durch »gnothi sauton« auslegen: gedenke, daß du sterben mußt, und *deshalb* erkenne dich selbst. Gerade der unweigerlich bevorstehende Verlust des eigenen Lebens soll den lebenden Menschen dazu bewegen, sich selber zu finden. Aber was findet der zu sich selbst findende, der sich selbst erkennende Mensch? Stellt man sich diese Frage, läßt man es bei der delphischen Mahnung allein nicht bewenden, sondern folgt man ihr und sieht zu, wohin die menschliche Selbsterkenntnis eigentlich führt, dann läßt sich jenes Mosaik auch umgekehrt »lesen«, auch von unten nach oben verstehen. Und in der Tat enthält das Bild, läßt man den Betrachter nur nicht außer acht, sondern nimmt ihn als Bestandteil des Bildes zu diesem hinzu, eine Art Zirkel. Denn das erkennt der sich selbst erkennende Mensch auf jeden Fall, daß er sterben muß. Findet er also wirklich erkennend zu sich selbst, dann wird er gerade ganz von sich weg und auf sein Nicht-mehr-Leben hin gewiesen. Denn was immer der sich selbst erkennende Mensch von sich selber, von seinem Leben erkennt, das wird von der Selbsterkenntnis, sterben zu müssen, wieder in Frage gestellt. Der in der Selbsterkenntnis tätige menschliche Geist scheint im Akt der Erkenntnis dieses Leben zumindest in Gedanken — aber was heißt da: zumindest! — in den Tod zu führen. Die Bedeutung dieser doppelten Bewegung, die das Mosaik beim Betrachter auslöst, läßt sich erst vollends ermessen, wenn man beachtet, daß der Mensch in derjenigen Tradition des Geistes, in die auch dieses Mosaik ge-

hört, als das vernünftige Lebewesen, als animal ratio-
nale, definiert wird. Der Mensch unterscheidet sich von
allen anderen irdischen Lebewesen dadurch, daß er Geist
hat, der ihn befähigt, sich selbst und anderes zu erkennen und zu verstehen. Der Mensch ist aber zugleich dasjenige irdische Lebewesen, das ein Verhältnis zu seinem
eigenen Tod hat. Wie hängen *Geist und Tod* zusammen?
Die geläufige Antwort dürfte wohl lauten: die Erkennt-
nisfähigkeit des Menschen begründet sein Verhältnis zu
seinem Tod. Weil der Mensch ein vernünftiges Lebewesen ist, deshalb erkennt er die Unvermeidlichkeit des
Todes. Und weil er die Unvermeidlichkeit des Todes erkennt, kann er zu seinem eigenen Tod auch ein Verhältnis haben. Das Verhältnis des Menschen zu seinem Tod
wäre dann eines unter vielen Verhältnissen, die der
Mensch hat; so wie die Erkenntnis der Unvermeidbarkeit des Todes ein Fall der Erkenntnis von vielen Fällen ist, die alle insgesamt sich der Tatsache verdanken,
daß der Mensch überhaupt erkennen kann. Ist es so?
Oder verhält es sich eher umgekehrt? Vieles spricht dafür, daß die Erfahrung der Negation, die der Tod am
Leben vollzieht, ursprünglicher ist als die Erfahrung des
Denkens; ja daß gerade das schmerzlich Verwunder-
liche der Todeserfahrung den Akt des Denkens aus sich
entläßt. Wo alles eines ist, fugenlos übereinstimmt, alles
mit sich selber das Selbe, denkt noch kein Geist. Das
Denken geschieht da, wo etwas nicht stimmt. In diesem
Sinn nannte Aristoteles das (kopfschüttelnde) Staunen
den Anfang des Philosophierens. Ist nicht die Erfahrung des Todes und seiner Unvermeidbarkeit so etwas
wie das Ur-Ereignis befremdenden Staunens, aus dem
sich der Gedanke herausarbeitet?

Das platonische Verständnis des Todes des Sokrates gab dieser Auffassung des Verhältnisses von Tod und Erkenntnis eine bezeichnende und die abendländische Tradition des Geistes prägende Wendung. Der Tod wird nicht als ein Gegenstand der Erkenntnis unter anderen, auch nicht als der vornehmste Gegenstand der Erkenntnis, sondern als der eigentliche Gegenstand aller Erkenntnis aufgefaßt. Die Identität von »memento mori« und »gnothi sauton« besagt, daß es in jedweder Erkenntnis darum geht, sich selbst als den zu erkennen, der sterben wird und muß. Der Tod ist dabei aber als ein das Erkennen selber betreffendes Ereignis angesetzt. Ja der Tod ist Gegenstand des Erkennens, ist eigentlicher Gegenstand aller Erkenntnis eben deshalb und nur deshalb, weil er das zu reinem Erkennen befreiende Ereignis ist. Dem Tod ist damit seine Negativität genommen. Im Tod kommt heraus, was bleibt und was wert ist zu bleiben. Deshalb ist Todeserkenntnis Selbsterkenntnis. Was im Tode vergeht, ist des Vergehens wert: der Leib. Was bleibt, ist unser eigentliches Selbst, die Seele, und diese ist ihrem Wesen und ihrer Funktion nach: Erkennen. »Memento mori« ist also deshalb identisch mit »gnothi sauton« (und umgekehrt), weil der sich selbst erkennende Mensch sich selbst als das zum Erkennen bestimmte Wesen erkennt, das durch den Tod zu dieser seiner Bestimmung gelangt. Daß der Mensch lebend auf seinen Tod bedacht sein soll, hat seinen Grund darin, daß der Lebende im Tod allererst ganz zu sich selbst kommt. Das »memento mori« soll also nicht einschüchtern, sondern diese Forderung gibt dem Leben Verheißung. Und diese Verheißung wirkt sich aus in Steigerung der Erkenntnis schon bei Lebzeiten. Der Tod ist als Gegenstand des Erkennens ein das Erkennen selbst steigerndes Ereignis. Er wirft nicht seine Schatten, sondern sein Licht voraus.

Historisch wäre anzumerken, daß diese positive Einschätzung des Todes, die vorbereitet war durch Orphik und Pythagoräer, in der griechischen Welt keineswegs selbstverständlich war. Lessing war zwar der Meinung, die Griechen seien durchweg mit dem Tod versöhnt gewesen; doch das Gegenteil war die Regel. Wie ein »süßes Gift«, meint Schelling, durchdringe Trauer über die Endlichkeit der Existenz die Kunstwerke der Griechen. — Je schöner die Welt, je schrecklicher der Tod. Deshalb wehrt sich der dem Tod geweihte Achilleus bei Homer dagegen, daß Odysseus ihm zum Trost den Tod gar preise: »Preise mir jetzt nicht tröstend den Tod, ruhmvoller Odysseus. / Lieber möcht' ich als Knecht einem anderen dienen im Taglohn, / Einem dürftigen Mann, der selber keinen Besitz hat, / als hier Herrscher zu sein aller abgeschiedenen Seelen.« Das war die typische Einstellung des Griechen zum Tode. Er kannte den Tod als Anlaß zur Resignation oder höchstens als Anlaß zum Genuß des vergänglichen Lebens.

Anders also die vom Tod des Sokrates herkommende Philosophie. Sie hat den Tod ins Positive gewendet. Der Tod verneint nicht, sondern befreit. Er beendet nicht, sondern vollendet. Er bedeutet nicht Schmerz, sondern Glück. Deshalb singen die Schwäne, bevor sie sterben, »am meisten und schönsten« — nicht aus Traurigkeit, sondern vor Freude, weil sie zu Apollon eingehen werden, dem Gott des Gesanges, ihrem Herrn (Phaid. 84 e). Derselbe Apollon war als Gott des delphischen Orakels auch der Herr des Sokrates, der es sterbend den Schwänen gleich tut. Sein Schwanengesang wurde notwendig zum Loblied auf den Tod. —

Daß der Tod nicht nur Gegenstand der Erkenntnis ist, sondern auf das Erkennen selber Einfluß nimmt, ist das Unbestreitbare an der platonischen Interpretation des Todes des Sokrates. Indessen, Platon hat dem Tod den Stachel der Negation genommen. Indem die eigentliche Bedeutung des Todes im Zusammenhang des Erkennens (als Läuterung und Selbststeigerung) angesetzt wurde, war der Tod im Zusammenhang des Seins *positiv* untergebracht.

Der platonischen Vorstellung vom Tod steht nun jedoch eine — bei aller scheinbaren Verwandtschaft — radikal andere Bestimmung des Verhältnisses von Tod und Erkenntnis gegenüber. Ich belege sie mit einigen Sätzen aus Hegels »Phänomenologie des Geistes«. Hegel nennt den Tod die »Energie des Denkens«. Das könnte auch durchaus platonisch verstanden werden. Doch Hegel versteht diese im Tod beheimatete Energie des Denkens als »die ungeheure Macht des Negativen«, der die Negativität gerade nicht genommen wird. »Der Tod ... ist das Furchtbarste, und das Tote festzuhalten, das, was die größte Kraft erfordert.« Für das Erkennen nun ist der Tod insofern der Ursprung, als er dem Bekannten ein Ende macht. Hegel setzt also einen Gegensatz zwischen das bloß Bekannte und das wirklich Erkannte. »Das Bekannte überhaupt ist darum, weil es *bekannt* ist, (noch) nicht erkannt.« Vielmehr muß das Bekannte, damit es erkannt wird, als Bekanntes negiert werden. »Es ist die gewöhnlichste Selbsttäuschung wie Täuschung anderer, beim Erkennen etwas als bekannt voraus zu setzen, und es sich ebenso gefallen zu lassen.« Über das

Bekannte redet man — hin und her. Es kommt aber kein neues Wissen, keine Erkenntnis zustande: »mit allem Hin- und Herreden kommt solches Wissen (sc. des Bekannten) . . . nicht von der Stelle.« Von der Stelle kommt das Wissen erst, wenn das Bekannte seinerseits in Bewegung kommt und dadurch aufhört, bekannt zu sein. Hört es auf, bekannt zu sein, so wird es von sich selbst geschieden, es macht sich unwirklich und vergeht als Bekanntes. Daß das Bekannte als Bekanntes solchermaßen durch die Verneinung des Scheidens verschwindet, ist die Arbeit des Verstandes. »Die Tätigkeit des Scheidens ist die Kraft und Arbeit des *Verstandes,* der verwundersamsten und größten, oder vielmehr der absoluten Macht.« Diese Macht des Verstandes besteht also darin, das Wirkliche der Negation, dem Tod auszusetzen und dadurch überhaupt erst zu erkennen. Erkennen heißt demnach nicht: das Wirkliche zu beschreiben, sondern »das Tote festzuhalten«. Deshalb ist der Geist nicht Geist ohne die »Schädelstätte des Geistes«. »Die kraftlose Schönheit haßt den Verstand, weil er ihr dies zumutet, was sie nicht vermag«: das Tote festzuhalten. »Aber nicht das Leben, das sich vor dem Tode scheut und von der Verwüstung rein bewahrt, sondern das ihn erträgt und in ihm sich erhält, ist das Leben des Geistes. Er gewinnt seine Wahrheit nur, indem er in der absoluten Zerrissenheit sich selbst findet. Diese Macht ist er nicht als das Positive, welches von dem Negativen wegsieht, wie wenn wir von etwas sagen, dies ist nichts oder falsch, und nun, damit fertig, davon weg zu irgend etwas anderem übergehen; sondern er ist diese Macht nur, indem er dem Negativen ins Angesicht schaut, bei ihm verweilt.«

71

Das ist auch »commentatio mortis«; aber ein Todesgedenken anderer Art. Auch hier ist der Tod Modell der Erkenntnis. Aber der Tod, dem es dabei ins Angesicht zu schauen gilt, ist nicht Trennung (von Leib und Seele) als Läuterung, sondern Scheidung als Verwüstung: »Der Tod, wenn wir jene Unwirklichkeit so nennen wollen, ist das Furchtbarste.« Die Negativität des Todes wird hier nicht bestritten. Es wird ihr aber auch nicht ausgewichen. Der Schmerz wird nicht wegerklärt, auch nicht weggetröstet, sondern ertragen. So allein kommt es zur Erkenntnis, die dann eben darin besteht, dem Vergangenen Zukunft zu geben und dem Vernichteten neues Sein. Diese Theorie des Erkennens denkt das Erkennen durch und durch *geschichtlich,* insofern das Erkennen mit seinem Inhalt eine Geschichte durchmacht: das Bekannte muß als Bekanntes erst verschwinden, um dann erkannt zu werden. Die Theorie von der Geschichtlichkeit des Erkennens (Geistes) kommt her von der Einsicht in die *Negativität* des Todes, dem gerade in der Höhe seiner Negativität positive Bedeutung zukommt. Dieser Ansatz der Bestimmung des Verhältnisses von Tod und Erkenntnis ist dem platonischen entgegengesetzt. Er wäre nicht möglich ohne das durch den Tod Jesu Christi eröffnete Verständnis des Todes.

Der Tod des Sokrates hat das tödliche Gift als eine zur Genesung führende Medizin erscheinen lassen. Sokrates begrüßte den Tod mit einem Schwanengesang. Jesus aber starb mit einem Schrei. Der Schwanengesang kündet die Heimkehr zum Gott an. Jesus schrie: Mein Gott, mein Gott, warum hast du mich verlassen? Das ist: dem Negativen ins Angesicht schauen.

Und doch wird gerade Jesu Tod als Heil verkündet.

4. Entplatonisierung des Christentums — eine theologische Aufgabe

Durch den Tod zur Unsterblichkeit, per aspera ad astra — das ist die Zwangsvorstellung, die ein platonisiertes Christentum beherrscht hat, von der ein sich entplatonisierendes Christentum jedoch Abschied nehmen muß. Das Mosaik aus dem römischen Nationalmuseum konnte zwar Jahrhunderte lang ohne Vorbehalt als christlich angesehen werden; die Identifizierung von »gnothi sauton« mit »memento mori« schien auf das genaueste dem zu entsprechen, was der viel zitierte und gepredigte Vers 12 des 90. Psalms zum Ausdruck bringt: »(Herr,) lehre uns bedenken, daß wir sterben müssen (unsere Tage zu zählen), auf daß wir klug werden.« Die Einsicht, sterben zu müssen, scheint ja auch hier — allererst und überhaupt — einsichtig und klug zu machen. Indessen sollte schon die Tatsache skeptisch stimmen, daß hier um die Einsicht, daß wir sterben müssen, *gebetet* werden muß. Selbsterkenntnis und Todeserkenntnis sind hier vermittelt durch ein Anderes. Daß ein Anderer als der Mensch den Menschen allererst lehren muß, »seine Tage zu zählen«, zeigt an, wie sehr der alttestamentliche Mensch sich gerade dagegen sträubt; von selbst tut er es nicht. Das Alte Testament, ohne das auch das Neue Testament nicht wäre, was es ist, ist aber auch darüber hinaus der härteste faktische Einwand gegen das mit dem platonisch aufgefaßten Tod des Sokrates gesetzte Todesverständnis. Platons Lösung des Todesrätsels kann die christliche nicht sein. —

Wir beschließen damit den ersten Teil unserer Überlegungen, die unter dem Titel »Das Rätsel des Todes«

vorgetragen wurden. Sie sollten zeigen, daß die faktische Rätselhaftigkeit des Todes beseitigt werden kann und muß. Die nun folgenden Überlegungen stehen unter dem Titel »Das Geheimnis des Todes«. Damit wird angedeutet, daß die Beseitigung der Rätselhaftigkeit einer Sache keineswegs in die Geheimnislosigkeit führen muß. Es gibt Dinge und Begebenheiten, Personen und Ereignisse, die um so geheimnisvoller werden, je besser man sie versteht. Rätsel kann man lösen. Geheimnisse bleiben auch dann, wenn man sie kennt, geheimnisvoll. »Die Welt soll nicht rätselhaft sein … Aber ohne Geheimnis? Nur ein ganz langweiliger Tropf kann behaupten, die Welt sei ohne Geheimnis… Wer behauptet, Erfahrung schließe Geheimnis aus, der hat noch nicht angefangen, sich auf Erfahrung einzulassen« (Bernet).

Die folgende theologische Antwort auf die Frage nach dem Tod versucht zwar, dem Ereignis des Todes seine Rätselhaftigkeit zu nehmen. Theologie bringt den Tod durchaus in die Dimension der Rationalität, ist Aufklärung über den Tod im Lichte des Evangeliums. Aber der solchermaßen aufgeklärte Mensch und der solchermaßen erhellte Tod verlieren in der Dimension der Rationalität ihren Geheimnischarakter nicht. Daß der Mensch sterben muß, daß der Tod als das uns Befremdende unser Ureigenstes ist, diesen Sachverhalt zu verstehen kann nur bedeuten, das Rätsel des Todes so zu lösen, daß sein wahres Geheimnis erscheint. Theologische Rede vom Tod kann deshalb gar nichts anderes sein wollen als der Versuch, in das Geheimnis des Todes einzuführen. Dabei leiten uns die in der Bibel überlieferten und zu jeder Zeit neu zu verantwortenden Aussagen über den Tod.

B. Das Geheimnis des Todes

IV. DER TOD DES SÜNDERS

Der Tod als der Sünde Sold

1. Die Rede vom Tod in der Bibel

Ein der ganzen Bibel gemeinsames Verständnis des Todes gibt es nicht. Man kann zwar einige fast allen biblischen Schriften gemeinsame Grundzüge im jeweils vorliegenden Verständnis des Todes erkennen, wie zum Beispiel die überwiegend negative Bewertung der Tatsache, daß der Mensch sterben muß. Aber solche gemeinsamen Grundzüge können nicht darüber hinwegtäuschen, daß das Todesverständnis innerhalb der Bibel unterschiedlich ist. Es gibt so etwas wie eine Geschichte verschiedener biblischer Ansätze, den Tod zu verstehen. Und diese Geschichte ist, wie fast jede wirkliche, also nicht abstrakt konstruierte Geschichte, nicht ohne Widersprüche.

Ein Widerspruch oder Gegensatz in der langen Geschichte biblischer Versuche, vom Tode zu reden, ist fundamental und für den christlichen Glauben an Gott von kaum zu überbietender Bedeutung. Es handelt sich um den inmitten einer tiefen Gemeinsamkeit aufbrechenden Gegensatz zwischen den im Alten Testament erkennbaren Einstellungen zum Sterben und Vorstellungen über den Tod einerseits und den neutestamentlichen Todesauffassungen andererseits. Dieser Gegensatz ist sachlich begründet. Es haben sich nämlich nicht nur Vorstellungen und Meinungen über den Tod, auch nicht nur Einstellungen zum Tod geändert, sondern es ist sozusagen mit dem Tod selber etwas geschehen, so daß eine neue Einstellung zum Tod und ein neues Todesverständnis möglich wurde.

Daß sozusagen mit dem Tod selber etwas geschehen sei, behauptet der christliche Glaube. Denn eben dies ist die einzigartige Bedeutung des Todes Jesu Christi, von der der christliche Glaube lebt, die er deshalb proklamiert und reflektiert. Mit dem Tod Jesu Christi, so bekennt gerade der Glaube an den Auferstandenen, hat sich am Tod selber, hat sich an der Tatsache, daß wir nicht leben können, ohne sterben zu müssen, etwas geändert. Daß wir überhaupt ein Neues Testament haben, hängt damit zusammen. Man kann durchaus sagen, daß der Tod Jesu Christi der letzte Grund nicht nur für den entscheidenden Gegensatz zwischen den alttestamentlichen und den neutestamentlichen Todesauffassungen, sondern überhaupt für den Unterschied zwischen Altem und Neuem Testament ist. Unterschied und Gegensatz sind dann aber noch sehr viel mehr als die tiefen Gemeinsamkeiten ein Hinweis auf die unlösliche Zusammengehörigkeit beider Testamente. Denn wenn durch den Tod Jesu Christi wirklich mit dem Tod, also hinsichtlich der Tatsache, daß wir nicht leben können, ohne sterben zu müssen, etwas geschehen ist, dann gehören kraft dieses Ereignisses beide Testamente gerade in der Unterschiedenheit und Gegensätzlichkeit ihrer Einstellungen zum Problem und zum Faktum des Todes sehr viel tiefer zusammen als etwa mehrere völlig übereinstimmende Todesauffassungen verschiedener Zeiten.

Im folgenden Abschnitt wird dementsprechend versucht, über die wichtigsten alttestamentlichen Aussagen zur Sache zu informieren, um dann auf diesem Hintergrund anhand neutestamentlicher Texte die Bedeutung des Todes Jesu zu erörtern. —
Was die biblischen Texte über den Tod zu sagen haben, unterscheidet sich von vielen tiefschürfenden religiösen und profanen Äußerungen älteren und neueren Datums zur Sache zunächst dadurch, daß der Frage nach dem Tod zwar eine ganz entscheidende, aber keine alles entscheidende Bedeutung zukommt. Daß unser ganzes Leben »commentatio mortis« sein solle, ist keine von der Bibel her zu vertretende Einstellung. Auch die Aufforderung, seine Tage zu zählen, auch das Gleichnis vom reichen Kornbauer sind nicht dahin zu verstehen.
Über die Schrecklichkeit des Todes, ja seine Widerwärtigkeit läßt die Bibel allerdings keinen Zweifel aufkommen. Doch den Tod als den eigentlich inspirierenden Genius der Philosophie zu bezeichnen (Schopenhauer), muß man wohl und kann man, wenn man sich an der Bibel orientieren will, neidlos den Philosophen überlassen. Die Frage nach dem Tod, die denkende und sehr existenzielle Besinnung auf das Ende irdischen Lebens, rührt zwar an Letztes. Aber sie ist nicht die »Nabe des Rades«. Eine Antwort auf die Frage nach dem Tod, ein Blick hinter diesen dunklen Schleier wäre noch keineswegs ein Zauber-Schlüssel, der alle Türen aufzuschließen vermag. Warum überhaupt Seiendes sei und nicht vielmehr Nichts — auf diese Grundfrage der Philosophie kann und will eine biblische Besinnung auf den Tod keine Antwort geben. Der Glaube kann den Tod so hoch unmöglich schätzen.

Der Glaube gibt vielmehr dem Leben ein unvergleich-
liches Prae, das auch die unerbittlichste Strenge des Todes, die dem Glauben sehr wohl und sehr schmerzlich
bewußt ist, nicht einholen kann. Der Tod ist zwar, wie
Paulus sagt, der Sünde Sold; doch der Apostel fährt unmittelbar fort — und darauf kommt es an: »die Gna-
dengabe Gottes aber ist ewiges Leben in Christus Jesus,
unserem Herrn« (Röm. 6,23). Mag sein, daß Philosophie sich dem Tode verdankt und in summa auch nichts
anderes ist als Philosophie des Todes. Eine Theologie
des Todes kann nicht mehr als ein — zwar gewichtiges
und entscheidendes — Kapitel Theologie sein. Denn
Theologie ist, wie auch immer, Rede von Gott. Von
Gott wird der Glaube allerdings nicht reden können,
ohne auf den Tod zu sprechen zu kommen. Aber Rede
von Gott ist mehr noch als Rede vom Tod. Theologie
verdankt sich nicht der Tatsache, daß wir sterben müssen, und ist etwas anderes noch als Theologie des Todes.

2. Alttestamentliche Einstellungen zum Tod

Unsere methodische Einsicht, über den Tod nur das sich
zum Tod verhaltende Leben befragen zu können, entspricht durchaus den alttestamentlichen Texten. Der
hebräische Mensch kennt den Tod als Anfechtung des
Lebens. Will man den Tod verstehen, muß man deshalb die alttestamentliche Einstellung zum Leben verstehen.

a) Das Leben als der Güter höchstes

Im Alten Testament kann vom Leben die Rede sein, ohne daß dabei ausdrücklich an den Tod gedacht werden muß. Allerdings hatte jeder Israelit den Tod ständig vor Augen. Die Sterblichkeit war enorm. Um so verständlicher wird die Wertschätzung des Lebens, das heißt der irdischen Existenz zwischen Geburt und Tod. Leben ist ein Gut, ja der Güter höchstes. Langes Leben und erfülltes Leben (1. Mos. 15, 15; Richt. 8, 32; Hiob 42, 17 u. ö.), Leben, das sich in den Nachkommen erhält (Ps. 127; 128 u. ö.), sind die besten Gaben, die Gott geben kann. Leben kann parallel mit Segen, Tod parallel mit Fluch gebraucht werden (5. Mos. 30, 19). Leben bedeutet Freude am Leben, und Freude am Leben ist berechtigte Freude an Gott (Schunack). Deshalb wird denen, die Gott suchen, Leben verheißen (Am. 5, 4). Das kann so weit gehen, daß als Lebensmittel nicht nur Brot oder andere Nahrungsmittel, sondern vorzüglich Gottes Wort in Frage kommt (5. Mos. 8, 3). Dahinter steht die Auffassung, daß Gott selbst der Lebendige schlechthin ist (5. Mos. 5, 26; 2. Kön. 19, 4; Ps. 42, 3), daß er die Quelle des Lebens ist (Ps. 36, 10).

Nur von daher erscheint es verständlich, daß es in einem relativ späten Text einmal heißen kann: »Deine Gnade ist besser als Leben« (Ps. 63, 4). Das ist eine für Israel ungewohnte Überbietung des Lebens durch Gnade. Bisher fielen Gnade und Leben gerade zusammen. Gnade bedeutete Leben. Das Auseinandertreten von Gnade und Leben wird nur dann verständlich, wenn wir Gottes Gnade als Teilgabe an Gott selbst, als dem Herrn des Lebens, auslegen dürfen. Dazu berechtigt allerdings der Textzusammenhang, der von einer Gottesschau spricht, also von einem ganz und gar ungewöhnlichen Ereignis, eben von einer durch Gott gewährten Teilgabe an seinem eigenen Sein, so daß die Seele des Gott schauenden Menschen sich an Gott »sättigt wie an Mark und Fett« (Ps. 63, 3. 6).

Ist Gott als der schlechthin Lebendige die Quelle des Lebens, dann ist an ihm vorbei Leben nicht zu haben. Das Leben ist keine mythologisch selbständige Größe, nicht etwas, das man zu suchen sich auf den Weg machen kann wie zum Beispiel im altbabylonischen Gilgamesch-epos. Auch der Lebensbaum im Paradies (1. Mos. 2 und 3) hat keinen Eigenwert. Gott verfügt über ihn, doch dem Menschen wird er nie verfügbar (1. Mos. 3, 22). Gott gibt Leben, und er nimmt es wieder (Ps. 104, 29 ff; Hiob 34, 14 f). So wie er dem Menschen Lebensodem gegeben hat (1. Mos. 2, 7), damit dieser Mensch überhaupt leben kann, so gibt er ihm auch Lebenszeit (1. Mos. 6, 3). Die Lebenszeit des Menschen ist in Gottes Hand (Ps. 31, 16; 139, 16). Das Leben eines Menschen ist nach alttestamentlicher Auffassung also eine Gabe, mithin nicht Eigentum des Lebenden.

Dieser Sachverhalt bedarf besonderer Aufmerksamkeit. Denn er besagt ja immerhin, daß das dem Menschen Nächste, daß die Bedingung seines Daseins und Selbstseins, nicht ihm selber gehört, daß sein Eigentlichstes, eben sein Leben, nicht sein Eigenes ist. Kurz und streng: der Mensch ist sich selbst entzogen. Er ist nicht Herr seiner selbst, wenngleich er Herr der Erde zu sein bestimmt ist (1. Mos. 1, 28). Nicht Herr seiner selbst zu sein ist aber nicht etwa ein anthropologischer Mangel, sondern vielmehr ein Hinweis darauf, daß der Mensch *nur in Beziehungen leben* kann, daß er, weil er sich selbst entzogen ist, sich nicht auf sich selbst beziehen kann, ohne schon immer auf Gott bezogen zu sein.

Es fällt von daher ein verheißungsvolles Licht auf das Sein des Menschen, der nicht bei sich selbst sein kann, ohne zugleich »außer sich«, eben bei Gott zu sein. Der Mensch ist außer sich er selbst, auch wenn er nichts davon weiß oder nichts davon wissen will. Er kann nicht zu sich selber kommen, ohne aus sich herauszugehen. Daß wir sprachlich existieren, hörend uns auf die Welt einlassen und redend aus uns herausgehen, ist ein nicht gut zu ignorierender Hinweis auf die Entzogenheit unseres Seins. Sind wir aber — ohne unser Tun — in unserem Sein uns selbst schon immer *entzogen,* nämlich auf Gott und auf die Welt *bezogen,* dann haben wir uns in unserem konkreten Verhalten nun unsererseits auf Gott und unsere Welt zu beziehen. Hörend muß der Mensch sich deshalb auf Gott einlassen, wenn er nicht aufhören will, zur Welt und zu sich selbst zu kommen — und das heißt, wenn er leben will. Deshalb: »Hört, so werdet ihr leben« (Jes. 55, 3). Denn auf Gottes Gesetz hörend, läßt der Mensch sich auf den Ursprung aller Verhältnisse ein, in denen allein sich Leben vollziehen kann. Indem der Mensch auf Gottes Wort hört und sich auf es einläßt, entspricht er seinem Verhältnis zu Gott und zu allen anderen ihm zugemuteten Verhältnissen. Wer aber so verhältnisgerecht existiert, der ist gerecht und wird deshalb auch vom Priester für gerecht erklärt. Und wer gerecht ist, der soll leben (3. Mos. 18, 5; Neh. 9, 29; Hab. 2, 4; Ez. 18, 5—9). Allgemeiner und ohne kultischen Hintergrund werden in der Weisheitsliteratur des Alten Testaments langes Leben und gute Jahre (Spr. 3, 1 f; 9, 11) in

Aussicht gestellt, wenn man »der Weisheit sein Ohr leiht« (Spr. 2, 2).

Es ist kein neuer Gesichtspunkt, sondern derselbe Sachverhalt noch einmal, nun aber negativ formuliert, wenn von demjenigen, der nicht verhältnisgerecht existiert und deshalb nicht für gerecht erklärt werden kann, gesagt wird: er soll sterben. Und es ist wiederum nur die logische Umkehrung, wenn es von dem der Weisheit entgegengesetzten Weg heißt: er führt in den Tod (Spr. 2, 18 f; 5, 5 u. ö.). Wir kommen darauf zurück.

b) Leben angesichts des Todes

Der Tod kam nun freilich auch dann, wenn man Gott suchte, auf Gottes Wort hörte, dem Weg der Weisheit folgte. Auf die Dauer blieb auch der Frömmste in Israel von ihm nicht verschont. Am Ende stirbt ein jeder (Ps. 89, 48 f). Diese Erfahrung mußte auch Israel machen. Sie war eine der bittersten Anfechtungen des Glaubens. Am schärfsten hat der trostlose Prediger dieser Anfechtung Ausdruck verliehen: »Der Weise stirbt wie der Tor — da ward mir das Leben verhaßt« (Pred. 2, 16 f).

Ähnliche Anfechtungen haben aber nicht notwendig die Resignation eines Prediger zur Folge gehabt. Vielmehr dürfte gerade aus solchen Anfechtungen dem Glauben Israels die Kraft zugewachsen sein, die gegenwärtige Gottesbeziehung als letztlich auch über die Alternative von Leben und Tod hinausführend hochzuschätzen. Das irdische Leben, der Güter höchstes, konnte nun von der Gottesbeziehung her noch einmal überboten werden.

Es sind einige wenige Texte des Alten Testaments, in denen sich eine solche Einstellung des Glaubens Israels andeutet. Der schon erwähnte Satz »deine Gnade ist besser als Leben« (Ps. 63, 4) gehört hierher, vielleicht auch eine Äußerung, in der der Beter seinen Gott »mein Teil im Lande der Lebenden« nennt (Ps. 142, 6). Wenn man nur keine Doktrin von der Unsterblichkeit des Menschen heraustüftelt, dann muß hier auch der 73. Psalm genannt werden, dessen Beter sich angesichts des Wohlergehens der Gottlosen damit tröstet, daß diese am Ende doch mit Schrecken sterben müssen, der Redliche aber nach einem Leben in der Gemeinschaft mit Gott von diesem »in die Herrlichkeit weggenommen« wird (V. 24). Man wird dabei kaum an ein Ende ohne Tod denken dürfen, sondern wohl von V. 26 her — »mag mein Fleisch und mein Herz vergehen, mein Fels und mein Teil bleibt Gott für immer« — zu interpretieren haben: der sich auf Gott beziehende und damit seinem Sich-selbst-schon-immer-Entzogensein entsprechende Mensch ist im Leben und im Sterben sich selbst *gnädig* entzogen. Deshalb kann er seine »Zuversicht auf Gott den Herrn setzen« (V. 28). Hingegen gilt von denen, die sich auf sich selbst beziehen, daß sie sich selber dem Gott entziehen, auf den sie doch schon immer bezogen sind. Sie enden im schrecklichsten aller Widersprüche, im Widerspruch zum eigenen Sein. Indem sie Gott untreu werden, sind sie sich selbst zutiefst untreu geworden, zerbrechen sie am Selbstwiderspruch: »denn siehe, die dir ferne bleiben, kommen um; du vernichtest alle, die dir ferne bleiben« (V. 27). — Schließlich zählt man zu den Texten, die die Alternative von Leben und Tod durch ein Insistieren auf das Verhältnis der Lebenden zu dem als Ursprung des Lebens verstandenen Gott überbieten, auch Hiob 19, 25—27. Aus der Gewißheit, daß sein

»Löser« lebt und nochmals (?) auf Erden auftreten wird, schöpft der geschlagene und geschundene Hiob Zuversicht: »ich werde Gott schauen« (V. 26). An eine Auferstehung der Toten darf man dabei nicht denken; die Toten sind dahin und kehren nicht wieder (vgl. Hiob 7, 9 f. 21; 10, 21 f; 16, 22). Der Satz läßt nicht mehr erkennen als das Vertrauen darauf, daß Hiobs erbärmlicher Zustand nicht das letzte Wort über ihn sein wird.

Die zuletzt erwähnten Texte sind Ansätze, über die Alternative von Leben und Tod hinauszukommen. Mehr als Ansätze dazu sind sie nicht. Für die alttestamentlichen Schriften gilt eben in der Regel, daß Leben das höchste Gut ist. Wir haben uns das nun an den alttestamentlichen Aussagen über den *Tod* klarzumachen. Es empfiehlt sich, zunächst auf die mehr äußerlich anmutenden Verhaltensweisen zu achten, an denen man die Einstellung des Hebräers zum Sterben und zu den Toten erkennen kann.

c) Einstellungen zum Alter, zum Sterben und zum Toten

Sterben ist für Israel ein Vorgang, der natürlicherweise mit dem Altern zusammenhängt. Früher Tod ist ein unzeitiges Sterben, obwohl eben dieses häufig geschieht. Die Kindersterblichkeit war groß, und mit Stolz kann ein Vater davon reden, daß er seine Söhne »davongebracht und großgezogen« hat (Jes. 1, 2; hier übertragen auf Gott). Wer in Ehren alt wird, ist sichtbar gesegnet. Die den Griechen vertraute Meinung »wen die Götter lieben, den lassen sie jung sterben« ist dem Alten Testament fremd.

Lieber erst gar nicht geboren sein kann zwar der verzweifelte Wunsch eines über die Maßen geplagten Menschen in seiner Anfechtung werden. Hiob wünscht sich in seiner Qual, eine verscharrte Fehlgeburt zu sein (Hiob 3, 16; vgl. die traurige Meinung Pred. 6, 3). Alttestamentlicher ist es jedoch, dergleichen den Feinden zu wünschen (Ps. 58, 9), womit bestätigt wird, daß das vorzeitige Ende eines Lebens — in diesem Fall ein Ende vor dem Anfang — eben ein schlimmes Ende ist.

Mitten im Leben dahin zu müssen ist ein törichtes Ende (Jer. 17,11: für den, der durch Unrecht Reichtum erwirbt). Das Leben eines Menschen muß für den Tod sozusagen erst reif werden, weshalb denn auch ein plötzlicher Tod als schlimm empfunden wird (Ps. 90, 7). »Denn sterben müssen wir zwar und sind wie Wasser, das auf die Erde geschüttet wird und das man nicht wieder fassen kann; aber Gott wird das Leben nicht jäh hinwegraffen ...«, wenn kein Grund dazu vorliegt (2. Sam. 14, 14; vgl. Hiob 34, 12). Die Gesegneten des Herrn sterben »in schönem Alter« (1. Mos. 25, 8; Richt. 8, 32; 1. Chr. 29, 28). Und wenn hohes Alter erreicht wird, dann ist der Tod an der Zeit, und es leuchtet ein, daß zu sterben der Weg aller Welt ist (1. Kön. 2, 2), dem man sich eigentlich gar nicht entziehen wollen kann. Alt und lebenssatt (1. Mos. 25, 8; 35, 29; Hiob 42, 17; 1. Chr. 23, 1; 2. Chr. 24, 15) — so *kann* der Mensch sterben; dann ist die Notwendigkeit des Todes zugleich eine Möglichkeit, der der Mensch sich nicht verschließt. Immerhin zahlt man für einen alten Mann weniger als für einen sechsjährigen Knaben, und auch der Wert der Frau nimmt mit 60 Jahren wieder ab, wenngleich nicht so rapid. (»Wozu ist ein alter Mann noch gut? Wie wertvoll ist es, eine alte Mutter oder Tante im Haushalt zu haben!«, meint dazu Ludwig Köhler.)

Auch die Selbsteinschätzung des alten Menschen hat eine Affinität zum Tode. Das Alter hat seine auf die Lust am Leben drückenden Beschwerden, Altersbeschwerden. Die Lebenskraft weicht (nicht jedoch bei Mose, was ausdrücklich als Ausnahme notiert ist, 5. Mos. 34, 7). Die Augen werden trüb (1. Mos. 27, 1; 48, 10; 1. Sam. 3, 2; 1. Kön. 14, 4; nicht jedoch bei Mose, 5. Mos. 34, 7). Die Beine tragen nicht mehr (Sach. 8, 4). Man fröstelt beständig, weshalb dem alten König David eine Jungfrau ins Bett gelegt wird (1. Kön. 1, 1—4). Das ist die Zeit, in der für den Menschen »die bösen Tage kommen und die Jahre sich einstellen, von denen du sagen wirst: ›Sie gefallen mir nicht‹« (Pred. 12, 1). Man kann den Ausdruck ›satt an Tagen‹ auch von daher verstehen (Köhler). Der Mensch ist bereit. Der Tod schreckt ihn nicht.

Der *Tote* wird sofort bestattet. Das Klima begünstigt die rasch einsetzende Verwesung, so daß schnell für die Bestattung gesorgt werden muß. Besorgt wird sie von den Angehörigen. Abraham begräbt sein Weib Sara (1. Mos. 23, 19) und wird selber von seinen Söhnen begraben (1. Mos. 25, 9). »Sein Verwandter — sein Bestatter« (Am. 6, 10). Die »Beerdigung« (Beisetzung unter der Erde) ist die übliche Form der Behandlung des Leichnams. Die Leichenverbrennung hingegen ist nicht üblich. Die Verbrennung wird als schimpfliche Behandlung für Verbrecher ausgespart, wohl vor allem als Strafe für Unzucht (1. Mos. 38, 24; 3. Mos. 20, 14; 21, 9). Der Strafcharakter der Verbrennung eines Lebenden lag vermutlich weniger in der Qual der Hinrichtung als in der Absicht, dem Verbrecher durch die Verbrennung die Bestattung zu verweigern und ihn so dem völligen Nichts auszuliefern (Quell). Die Steinigung hat dieselbe Funktion wie die Verbrennung: der Gesteinigte »wird so mit Steinen überdeckt, daß nichts mehr von ihm da ist« (Köhler).

Verweigerung der Bestattung galt als Erzübel. Den Hunden oder den Vögeln zum Fraß preisgegeben zu werden hieß den Unterschied zwischen Mensch und Tier aufheben: »ein Eselsbegräbnis« (Jer. 22, 19). Noch die jüdischen Ausleger des Alten Testamentes warnen davor, auf hoher See zu sterben und also ohne Grab zu bleiben.

Die *Begräbnisplätze* lagen in der Regel außerhalb der bewohnten Siedlungen. Nur Kinder und Fürsten wurden mitunter im Hause beigesetzt. Die Regel war jedoch die Bestattung in einer Totenstadt, in einer Nekropole außerhalb der Wohnstätte der Lebenden. Die Gräber der Wohlhabenden unterschieden sich von denen der Armen. Während unbemittelte Leute wahrscheinlich in Senkgräbern unter die Erde kamen (vgl. den Ausdruck »Gräber der Leute« 2. Kön. 23, 6), wurden die Reichen in vornehmeren und dauerhaften Felsengrabmälern bestattet, die denn auch die Zeiten überdauerten — dem Spaten der Archäologen ein willkommenes Objekt. Särge wurden in der älteren Zeit nicht benutzt. Erst in hellenistischer Zeit finden sie Verwendung.

Die Leichen wurden in alttestamentlicher Zeit auf Bänken niedergelegt, die sich an den drei Seiten der rechteckigen Grabkammer links, rechts und gegenüber der Eingangsseite befanden. Hier wurde man »zu seinen Vätern versammelt«. Für die sterbenden Nachkommen wurde Platz gemacht, indem die Gebeine später von der

Bank weggenommen und in eine Sammelgrube gelegt wurden, die sich meist in einer Ecke der Grabkammer befand. Grabinschriften mit den Namen der Verstorbenen sind aus dieser Zeit nicht bekannt. Der Name gehört den Lebenden. Und nur bei ihnen kann auch der Name eines Toten weiterleben.

Dieser Sachverhalt verdient allerdings über den Zusammenhang der Begräbnissitten hinaus einige Aufmerksamkeit. In der Sprache allein — eben in der sprachlichen Überlieferung der in ihrem Namen vertretenen Person — hat der Gestorbene eine sein Lebensende überdauernde Chance. Die geschichtliche Erinnerung *kann* den eigenen Tod als Tod des *Anderen,* der er ja für die Anderen ist, in gewisser Weise geschichtlich entschärfen. Die Chance der Erinnerung kann aber auch negativ zur Geltung kommen: der Arge, der besondere Übeltäter kann »zum Sprichwort (Schimpfwort) werden« (5. Mos. 28, 37). Doch in der Regel erlischt die Erinnerung an den Verstorbenen nach einer gewissen Zeit, und der Name wird vergessen bei den Menschen. Sogar von Gott kann gesagt werden, daß er der Toten nicht mehr gedenkt. Immerhin: die sprachlichen Möglichkeiten göttlicher Erinnerung sind nicht die menschlichen. Wenn er der Toten nicht mehr *gedenkt,* so muß das nicht heißen, daß er sie für immer *vergißt.* Das Neue Testament wird sehr entschieden daran anknüpfen, daß der Mensch, den Gott bei seinem Namen gerufen hat (vgl. Jes. 49, 1), für immer zu Gott gehört: du bist mein (Jes. 43, 1). Luther hat dann gerade in diesem Sachverhalt des sprachlichen Verkehrs Gottes mit dem Menschen die Hoffnung auf ein ewiges Leben des Menschen begründet gesehen: »Wo also und mit wem Gott redet, es sei im Zorn oder in

Gnaden, der ist gewiß unsterblich. Die Person Gottes, der da redet, und das Wort zeigen an, daß wir solche Kreaturen sind, mit denen Gott bis in Ewigkeit und unsterblicherweise reden will.«

Doch zurück zur Information über die Begräbnissitten! Eine eigentlich individuelle Form der Bestattung beginnt erst in römisch-hellenistischer Zeit aufzukommen (Einzelkammer; Gebeinkästen; Grabinschriften). Zu allen Zeiten jedoch hat man den Toten allerlei Gaben mit ins Grab gegeben, »Gegenstände des täglichen Lebens wie Tongefäße, Tonlampen, Salbgefäße, Schmuck, Waffen« (Noth). Dergleichen deutet darauf hin, daß die Toten in ihren Gräbern nicht einfach nichts sind, sondern in einer der Existenz der Lebenden doch irgendwie noch gleichenden Weise da sind. Sie hausen dort; »das Grab ist Wohnung« (Quell). Aber diese »Wohnung« gehört nicht zur Welt. Das Grab ist vielmehr — wie Wüste und Ozean — Nicht-Welt.

Das Alte Testament läßt die Sterbenden aber nicht nur »in die Grube fahren« (Jes. 38, 18; Ps. 28, 1; 30, 4 u. ö.). Der Tote geht auch in *die Scheol*, eine »Gegend«, die mit »Totenreich« nur unpräzis beschrieben ist. Scheol ist unten. Man geht zu ihr hinab (Jes. 7, 11), um nie wieder zurückzukommen (Hiob 7, 9f; 2. Sam. 12, 23). Sie ist der Ort des Untergangs (Hiob 26, 6; 28, 22; Spr. 15, 11), ohne Licht (Hiob 10, 21), Stelle der Stille (Ps. 94, 17; 115, 17). Unterschiede werden dort bedeutungslos (Hiob 3, 19); man nimmt sie wahr, um ihre Bedeutungslosigkeit zu erkennen. Freude kennt man dort nicht. Es ist schläfrig. »Alle mentale Aktivität ist vorüber.« In schemenhaftem Schein ist das Sein der einst Lebenden zum Gewesensein erstarrt. Die in der Scheol versammelten Toten sind auf ihr Gewesensein fixierte Verstorbene. »Wie ein Wachsfigurenkabinett wirkt ... diese Versammlung lebensleerer Hüllen einstigen Wesens ... Wer einmal tot ist, bleibt auf ewig dasselbe, ›bis die Himmel vergehen, erwacht er nicht, wird nicht aufgeweckt aus seinem Schlafe‹ (Hiob 14, 12)« (Maag). Die Toten sind »im Land des Vergessens« (Ps. 88, 13). Der Ausdruck ist trostlos.

Die Vorstellungen vom Aufenthalt der Toten im Grabe und in der Scheol stehen unausgeglichen nebeneinander. Beide Vorstellungen sind keine ursprünglichen Erzeugnisse des Glaubens Israels. Sie gehören zur religionsgeschichtlichen Umwelt des Alten Testaments und stellten den Glauben an den Gott Israels vor nicht geringe Probleme.

Solche Probleme stellen sich schon ein, wenn es um die *Totentrauer* geht. Auf die möglichst rasche Bestattung des Verstorbenen folgt eine mit Trauerbräuchen auszufüllende Zeit der Trauer. Man weint, klagt, und zwar mehrfach. Weinen ist dabei ebensowenig wie die Trauer selbst ein primär subjektives Verhalten. Die Totenklage Davids um Saul und Jonathan ist in ihrer herben Empfindsamkeit wohl eher die Ausnahme. »Beim Hebräer ist die Trauer ein viel mehr sachliches Geschehen. Wenn Joseph mit seinen Brüdern eine Totenklage von sieben Tagen um seinen Vater hält, so bedeutet das nicht, daß sie sieben Tage lang geweint haben, weil sich ihr Gemüt nicht in den Tod des Vaters schicken konnte ... Die Totenklage bedeutet vielmehr, daß die Hinterbliebenen sieben Tage lang am Morgen und vielleicht am Abend zusammenkommen und weinen, wie das fromme Juden noch heute tun.« Weinen ist also nicht so sehr unwillkürlicher Ausdruck subjektiver Empfindung. »Der Hebräer kann weinen, wann er will.« Beim Todesfall ist es Brauch.

Die Teilnahme an den Trauerriten verunreinigt. Aber die Verunreinigung ist notwendig, um sich von dem Toten zu lösen, »denn auch der liebste Tote ist, wenn er einmal tot ist, ein Glied einer anderen Welt, des Reiches des Todes, deshalb unheimlich und etwas, was man meidet, ›unrein‹. Von da aus erklären sich die Trauerfeiern und die Totenbräuche in ihrem eigentlichen Wesen. Es sind Abfindungen, Loslösungen von dem Toten« (Köhler).

d) Ambivalenz des Todes

Obwohl sich über den Tod vom Alten Testament her kaum etwas Gutes sagen läßt, kann er in seiner Negativität doch nicht als dem Leben gleichgewichtig gelten. Er ist zwar das Ende der menschlichen Lebenszeit, ja des Lebens ständige Bedrohung und insofern ein ausgesprochenes Übel. Aber er ist ein Übel nur in der Folge einer guten Gabe Gottes. Leben ist die Bedingung der Möglichkeit auch des Todes, den man mit dem Leben eben hinnehmen muß. »Haben wir das Gute von Gott empfangen, sollten wir das Böse nicht auch hinnehmen?« (Hiob 2, 10). Man lehnt sich gegen den Tod, jedenfalls prinzipiell, nicht auf, wenn man auch Gott darum bittet, vor vorzeitigem Tod zu bewahren und aus tödlicher Bedrängung zu erretten. Solange man lebt, will man leben. Und »alt und lebenssatt« zu sterben ist Zeichen eines begnadeten Lebens. Kommt dann der Tod, dann hat der Mensch gelebt, dann ist er gewesen. Und das ist ein auch vom Tod nicht wieder rückgängig zu machendes Plus. Gelebt zu haben, gewesen zu sein ist nicht nichts.

Israel kennt den Tod also nicht als eine unbeschränkte Macht. Er ist der Macht Gottes untergeordnet. Auf das in der Umwelt Israels weit und stark verbreitete selbständige religiöse Interesse an der Eigenmacht des Todes und der Toten reagiert der Glaube Israels deshalb ausgesprochen allergisch. Trauerriten aus anderen Religionen werden bekämpft (5. Mos. 14, 1; 26, 14). Totenbefragung ist unerwünscht (3. Mos. 19, 31; 5. Mos. 18, 11). Die Vorstellungen über den Vorgang des Sterbens, über das Sein bzw. Nichtmehrdasein der Gestorbenen, über Grab und Totenreich bleiben deshalb disparat. Es ist charakteristisch, daß diese disparaten Vorstellungen zu vereinheitlichen offensichtlich keine theologische Veranlassung bestand. Das Verhältnis des Israeliten zum Tod war ausgesprochen spröde.

Diese Sprödigkeit war theologisch motiviert. Merkwürdigerweise sind es zwei zunächst widersprüchlich anmutende Gesichtspunkte, die als Begründung in Frage kommen. Einerseits nämlich ist es Gottes Herrschaft über den Tod, die eine selbständige Bedeutung des Todes gar nicht erst aufkommen läßt. *Gott* tötet und macht lebendig (1. Sam. 2, 6). *Er* läßt die Menschen zurückkehren zum Staub (Ps. 90, 3). Andererseits aber ist es der Glaube an Gott als den Ursprung alles Lebens, der eine religiöse Zurückhaltung gegenüber dem Tod geboten sein läßt. Israels Gott ist ein Gott der Lebenden, nicht der Toten. Die Toten sind geschieden von seiner Hand (Ps. 88, 6). Die Leichen sind unrein, aus dem Bereich Gottes entnommen (3. Mos. 21, 1; 4. Mos. 19, 16;

5. Mos. 21, 23). Das Totenreich ist durch Gottesferne charakterisiert. Der Glaube Israels hatte diese Distanz zwischen Gott und der Sphäre des Todes durch eine entsprechende Distanzierung gegenüber jedem eigenständigen religiösen Interesse am Tod zu respektieren.

Damit stellt sich nun aber das Problem eines theologischen Verständnisses des Todes erst recht. Die Sprödigkeit, mit der sich der Glaube Israels zum Tode verhält, ist nicht etwa ein Hinweis darauf, daß man in Israel den Tod verdrängt hätte, oder ein Ausweis dafür, daß ein theologisches Verständnis des Todes in Israel unmöglich gewesen sei. Im Gegenteil! Man wird vielmehr sagen müssen, daß gerade die Sprödigkeit des Glaubens gegenüber dem Tod und gegenüber dem den Religionen aller Zeiten so gewichtigen Komplex »Unsterblichkeit« ein sehr prägnanter Ausdruck des theologischen Todesverständnisses ist, das das Alte Testament anzubieten hat. Für eine vom Alten Testament her zu gewinnende Theologie des Todes kommt dem Tod keine letzte Selbständigkeit zu. Er kommt, so können wir scharf formulieren, nicht an sich vor. Sterben ist menschlich. Der Tod ist nicht etwas davon zu Abstrahierendes, sondern eben dies: daß Menschen sterben. Insofern ist im Glauben Israels eine Tendenz zur Entmythologisierung des Todes angelegt, die dann im Neuen Testament in äußerster Radikalisierung sich auswirkt.

Damit ist nun aber nicht etwa einer Verharmlosung des Todes das Wort geredet. Daß Menschen sterben, daß ihr Leben ein Ende hat, ist ja im Alten Testament nur in — besonderer Erwähnung werten — Ausnahmefällen ein das Leben vollendendes Ende. Es ist zwar nirgends im Alten Testament bestritten, daß der Tod grundsätzlich

93

eben dies sein könnte: ein das Leben eines Menschen vollendendes Ende. Es gibt vielmehr hinreichend Anhaltspunkte dafür, daß der Tod auch so erfahren werden konnte und von Gott so gemeint war: »Du gehst in Vollreife zum Grabe ein, gleichwie die Garbe eingebracht wird zu ihrer Zeit« (Hiob 5, 26). So starben die Patriarchen, die den Tod im hohen Alter als etwas sehr Selbstverständliches akzeptierten (1. Mos. 27, 2; 46, 30; 48, 21; 50, 24). So *könnte* jeder sterben. Aber de facto ist es anders.

De facto *muß* der Mensch sterben, weil er sich selbst nicht vollenden und so in Frieden beenden kann. De facto muß der Mensch sterben, obwohl — ja weil — er nicht sterben kann. Das ist das Elend des Todes, das macht ihn bitter: daß wir nicht sterben können und doch sterben müssen.

De facto ist der Tod etwas anderes als das, was er sein könnte. De facto ist der Tod widernatürlich. De facto ist er ein Fluch. Ein Fluch freilich, den sich der Mensch selber von seinem Gott zuzieht. Auch das faktische Elend des Todes wird im Alten Testament wiederum nur von dem Gottesverhältnis Israels her verständlich. Es ist begründet im Gegensatz zwischen dem heiligen Gott und dem ganz und gar nicht heiligen Menschen. Dieser Gegensatz ist als solcher tödlich. Wer den heiligen Gott sieht, muß eigentlich sterben (Richt. 13, 22; Jes. 6, 5; 2. Mos. 33, 20). Das gestörte Gottesverhältnis führt in den Tod.

Zwar ist fast immer nur in concreto, also bei einzelnen Todesfällen davon die Rede, daß der Tod etwas mit dem gestörten Gottesverhältnis zu tun hat. Grundsätzlich und allgemein wird das Sterben nur in der paradiesischen Drohung (1. Mos. 2, 17) »nur von dem Baume der Erkenntnis des Guten und des Bösen, von dem darfst du nicht essen; denn sobald du davon issest, mußt du sterben« (vgl. mit 1. Mos. 3, 19) und in der drastischen Verkürzung der Lebensalter (1. Mos. 6, 3) als Strafe erkennbar. Daß der Tod der Sünde Sold sei, wird in dieser Allgemeinheit und Grundsätzlichkeit erst im Neuen Testament und dort dann in einem von der Überwindung dieses Todes redenden Zusammenhang behauptet. Dennoch rückt auf der ganzen Linie des Alten Testaments der Tod in eine spezifische Affinität zu der Schuld, mit der der Mensch im Laufe seines Lebens sein Leben unheimlich belastet. Der Tod wirft nicht nur seinen Schatten auf das menschliche Leben. Vielmehr ist der Schatten, den der Tod wirft, nur die unheimliche Vergrößerung des ursprünglichen Schattens, der von unserem Leben her auf unser Ende fällt.

Es ist von äußerster Wichtigkeit, sich diesen spezifisch biblischen Sachverhalt hinreichend klarzumachen. Daß der Tod eine radikale Problematisierung des Lebens ist, das wir noch leben, ist eine allgemein anthropologische Wahrheit. Daß unser gelebtes Leben jedoch eine radikale Problematisierung des Todes ist, daß wir den Tod allererst zu dem Problem aller Probleme, zu der eigentlichen Aporie, der eigentlichen Ausweglosigkeit unseres Lebens *machen*, das ist der spezifisch biblische Aspekt jener allgemein anthropologischen Wahrheit. Man kann diesen bedeutsamen Sachverhalt zugespitzt durch die These ausdrücken, daß erst das, was wir im Laufe unseres Lebens aus diesem Leben machen, den Tod zu einer unheimlichen Macht macht, die nicht nur den Einzelnen, sondern ganze Gemeinschaften, ja Völker bedroht.

Nun — deshalb! — hat Scheol eine *Hand*, mit der sie über ihre Grenzen hinaus eingreift mitten hinein ins schöne Menschenleben (Ps. 49, 16; 89, 49). Nun — deshalb! — *fängt* der Tod den Menschen wie eine Beute im *Netz* (Pred. 9, 12) und mit *Stricken* (2. Sam. 22, 6; Ps. 18, 6). Nun — deshalb! — öffnet Scheol weit einen *gierigen Schlund* und sperrt einen Rachen auf über die Maßen, damit hinunterfahre Jerusalems Pracht, sein Gelärm und Getümmel und wer darin frohlockt (Jes. 5, 14). Nun — deshalb! — kann der Tod als Gleichnis dienen für die Habgier des Menschen, der *unersättlich* ist wie der alle Völker zu sich versammelnde und alle Nationen bei sich vereinende Tod (Hab. 2, 5; Spr. 27, 20). Nun — deshalb! — ist der Tod die ständige und von allen Seiten nahende Bedrängnis des Lebens, um dann plötzlich dahinzuraffen und ein Ende mit Schrecken zu bereiten (Ps. 73, 19). Nun — deshalb! — ist das Leben in Todesbedrängnis.

Nun und deshalb — das heißt: der Tod müßte nicht dies sein, daß wir sterben müssen, ohne sterben zu können. Er müßte nicht Bedrängnis, sondern könnte Befriedung des Lebens sein. Er müßte nicht widernatürlich, sondern könnte natürlich sein. Er müßte nicht vorzeitig, unzeitig, zur bösen Zeit (Pred. 9, 12) kommen, sondern könnte zur rechten Zeit sich einstellen. Er müßte nicht Abbruch, sondern könnte das rechte Ende sein.

Daß diese Möglichkeit nicht nur irreal, nicht nur eine abstrakte Erwägung, sondern eine echte Möglichkeit ist, wird durch die Wirklichkeit eines solchen Todes bezeugt. Der Tod der Patriarchen steht dafür gut. Das Wissen um die Möglichkeit eines solchen Todes spricht sich in unüberbietbarer Prägnanz und Schönheit in dem schon zitierten Satz Hiob 5, 26 aus: »Du gehst in Vollreife zum Grabe ein, gleichwie die Garbe eingebracht wird zu ihrer Zeit.« Auch die Bitten um Errettung und der Dank für erfahrene Errettung »aus dem Tode« lassen zumindest indirekt erkennen, daß der böse Tod nicht das Ende des Menschen sein muß. Denn die von der Errettung aus dem Tode redenden Texte des Alten Testaments meinen niemals eine göttliche Bewahrung vor dem Sterben überhaupt, sondern eine Errettung aus konkreter Todesgefahr und also die Abwendung eines unzeitigen Todes »zur bösen Zeit«. Errettung aus dem Tode bedeutet Lebensverlängerung, so daß die Zahl der Lebenstage voll werden kann (vgl. 2. Mos. 23, 26). Schließlich stellt man sich in Israel die ersehnte künftige Heilszeit im neuen Jerusalem als eine Zeit vor, in der es keinen Greis geben wird, der die Zahl seiner Tage nicht erfüllt hätte — also nicht für den Tod reif wäre (vgl. Jes. 65, 20; Sach. 8, 4). Der Tod kann also auch etwas anderes sein als ein Fluch.

Es ist demnach deutlich, daß dem Tod eine gewisse Ambivalenz eignet. Er wird eben ganz und gar vom gelebten Leben her erfahren und beurteilt, im Guten wie im Bösen. Aber eben deshalb ist der Tod, den man sterben muß, ohne sterben zu können, der nicht Befriedung, nicht an der Zeit, nicht rechtes Ende, kurz: nicht natürlich, sondern eben Bedrängung, unzeitig, Abbruch, kurz: widernatürlich ist, die Regel. Und deshalb wirft der Tod seinen Schatten auf das Leben *zurück*.

Von daher wird es verständlich, daß das Alte Testament den Tod zwar als *Gericht* Gottes über den Menschen, vordringlich aber als ein den Menschen und Gott *entfremdendes Ereignis* kennt, und daß die tödliche Entfremdung von Gott und Mensch das eigentliche Elend des Todes ist.

e) Die Gottfremdheit des Todes

Im Unterschied von den zum Gotte Apollon heimkehrenden Schwänen, mit denen sich der sterbende Sokrates verglich, singt der alttestamentliche Mensch seinem Gott kein Loblied, wenn sich der Tod naht. Denn der Sterbende kehrt nicht heim zu Gott, sondern zurück zum Staub, aus dem er gemacht ist. Der Tod ist demgemäß das Ende des Gottesverhältnisses eines Menschen. Hart heißt es: »Die Toten loben den Herrn nicht« (Ps. 115, 17); und: »Nicht preist dich die Scheol, lobt dich der Tod; nicht harren, die zur Grube hinuntergefahren sind, auf deine Treue; der Lebende, nur der Lebende, er preist dich — wie ich heute« (Jes. 38, 18 f). Leben und Tod stehen sich für den Lebenden gegenüber wie das Gute und das Böse (5. Mos. 30, 15), wie Segen und Fluch (V. 19). Die Lebenden sind deshalb aufgerufen, sich für das Leben und gegen den Tod zu entscheiden (ebd.): tota fidelium vita, könnte man antithetisch zu Cicero formulieren, est abrogatio mortis: das ganze Leben der Glaubenden ist eine Absage an den Tod — und das nicht unter Leugnung, sondern angesichts der Tatsache, daß der Tod in jedem menschlichen Leben seine Stunde, daß jedes menschliche Leben seine letzte Stunde hat. Das heißt, die *Bejahung der Endlichkeit* des Menschen führt den Glauben Israels zur Hochschätzung, ja zur Höchstschätzung des Lebens als einer *Absage* an den Tod.
Diese alttestamentliche Höchstschätzung des Lebens als einer Absage an den Tod (angesichts des Todes!) läßt

nun allerdings ein sehr klares theologisches Verständnis dessen, was das anthropologische Phänomen des Todes eigentlich ist, erkennen. Man muß also vom Leben ausgehen. Die Höchstschätzung des Lebens entspringt dem Glauben an Jahwe als den Ursprung und die Fülle des Lebens. Der Mensch lebt seinerseits deshalb, weil und insofern als Jahwe sich zu diesem Menschen verhält und der Mensch sich seinerseits zu Jahwe in einer diesem Verhältnis Gottes zu ihm entsprechenden Weise verhält. Gerade so, indem der Mensch sich auf den bezieht, von dem her er sein Leben bezieht, unterscheidet sich der Mensch von Gott. »Leben« heißt also im Alten Testament: *ein Verhältnis haben.* Vor allem: zu Gott ein Verhältnis haben, das Verhältnis nämlich einer wohltätigen Distanz, in der ein Wohlverhalten erst möglich wird. Das Leben des alttestamentlichen Menschen ist durch Verhältnisse, durch klare Verhältnisse bestimmt; sie sind im *Gesetz* geregelt: klare Verhältnisse zum Nächsten, zum Volk, zu sich selbst und zu Gott. Der Mensch kann diese klaren Verhältnisse trüben und aufzulösen versuchen. Jeden Versuch, diese Lebens-Verhältnisse zu zerstören, nennt das Alte Testament *Sünde* — nämlich Rebellion gegen Gott, der sich in allen menschlichen Lebensverhältnissen schon immer zum Menschen verhält. Sünde drängt in die Verhältnislosigkeit. Sie macht beziehungslos. *Der Tod nun ist das Fazit dieses Dranges in die Verhältnislosigkeit.* Insofern ist der Tod anthropologisch nicht nur und nicht erst am Ende des Lebens, sondern im Drang nach Verhältnislosigkeit als wirksame Möglichkeit jederzeit da.

Sünde ist also der gottlose Drang nach Verhältnislosigkeit. In diesem Drang nun greift, nach dem Alten Testament, der Tod über seinen jähen Ort am Ende eines Lebens hinaus, um den Menschen durch Störung seiner Verhältnisse in seinem Verhalten empfindlich zu stören. Im Buche Hiob kann ein Mensch ein Lied davon singen. Die Fremdmacht des Todes greift über in die Wohlordnung der Schöpfung und ihres Lebens, um Wohlordnung und Wohlverhalten zu stören. Tritt der Tod faktisch ein, dann wird ein Leben vollends verhältnislos. Der tote Mensch ist seinem Gott für immer entfremdet. Und ohne Gott wird alles verhältnislos.

Verhältnislos ist der tote Mensch aber nicht nur gegenüber allem anderen, was er nicht ist, sondern verhältnislos ist der Tote auch und erst recht im Blick auf sich selbst: »Die Lebenden wissen (wenigstens), daß sie sterben müssen, die Toten aber wissen gar nichts mehr« (Pred. 9, 5). Das Schlimmste freilich, was von den Toten zu sagen ist, ist dies, daß ihr Gottesverhältnis zu Ende ist. Hiob spielt in letzter Verzweiflung die Gottfremdheit des Todes sogar gegen Gott aus, indem er seinen Schöpfer daran erinnert, daß es auch für ihn ein Zuspät gibt: »Doch jetzt leg' ich mich in den Staub. Dann suchst du mich. Doch ich bin weg« (Hiob 7, 21). Das heißt, wenn Gott helfen will, dann muß er es jetzt tun, ehe der Tod kommt, bzw. ehe er ganz da ist. Denn seine fremden Schatten wirft der Tod schon überall in die Bereiche des Lebens, um in Schwachheit, Krankheit, Gefangenschaft, Feindesnot und so fort das Leben von Gott und das heißt das Leben dem Leben zu entfremden.

Der Tod ist in seiner Gottfremdheit also aggressiv. Das ist nicht mythologisch zu nehmen, sondern durchaus anthropologisch zu interpretieren. Der Mensch ist mitten im Leben vom Tode bedroht, das heißt, der Mensch ist von sich selbst bedroht. Der Tod könnte die Vollendung des Lebensverhältnisses sein. Das wäre der *natürliche Tod,* den der Mensch nicht nur sterben muß, sondern sterben kann. Die Bibel redet indessen vordringlich von dem Tod nicht, wie er sein könnte, sondern wie er ist. Er zerstört die Verhältnisse, er bricht die Beziehungen ab, in denen allein sich Leben vollziehen kann. Sein Wesensakt ist in diesem Sinne die radikale Negation. Er verneint das Leben, indem er Gott und Mensch hoffnungslos einander entfremdet. Denn wo keine Beziehung ist, ist auch keine Hoffnung. Der Tod ist der hoffnungslose Fall.

f) Auferstehung der Toten?

Nur ganz am Rande des Alten Testaments taucht die Vorstellung auf, daß auch für die Toten eine Hoffnung besteht. Die vor allem in den Psalmen mehrfach vorkommende Rede von der Errettung aus dem Tode bezieht sich, wie bereits ausgeführt, auf die Hilfe in besonderer Lebensbedrängnis, in der der Tod, über seinen jähen Ort am Ende eines Lebens hinausgreifend, sehr real andrängt. Der aus solcher Lebensbedrängnis errettete Beter kann deshalb — keineswegs nur metaphorisch — davon reden, daß er aus der Scheol, aus dem Tode errettet worden ist. Daß Gott in das Reich der Verstorbenen eingreifen kann, ist zwar Ps. 139, 8 und Am. 9, 2 ausdrücklich behauptet, meint aber an beiden Stellen nicht, daß er Tote lebendig machen will. Erst später hat man solche Texte — auch Ps. 73, Hiob 19 — im Lichte der Auferstehungshoffnung gelesen, die man evtl. für Jes. 26,19, sicher aber nur für Dan. 12,1 behaupten kann.

Jes. 26, 14 formuliert noch einmal im Sinne der klassischen Auffassung des alten Israel: »Tote werden nicht wieder lebendig, Totengeister stehen nicht wieder auf.« Nur fünf Verse danach (*Jes. 26, 19*) heißt es dann jedoch: »Deine Toten werden leben, (meine Leichen) werden auferstehen; aufwachen und jubeln werden die Bewohner des Staubes.« Entweder soll mit diesem Satz das zuvor Gesagte korrigiert werden, oder aber man hat das zuvor Gesagte nur auf die Gottlosen zu beziehen, so daß in Vers 19 nur den Erwählten eine Auferstehung verheißen ist, oder aber Vers 19 ist ebenso Bildrede für die Errettung des bedrängten Israel, wie das für die große Vision von der Wiederbelebung der Gebeine in Ez. 37 bestimmt anzunehmen ist. Die Entscheidung muß offen bleiben.

Dagegen ist *Dan. 12, 2* im Zusammenhang mit der Errichtung des endzeitlichen Gottesreiches eindeutig eine Totenauferweckung prophezeit: »Viele von denen, die im Staub der Erde schlafen, werden aufwachen, die einen zu ewigem Leben, die anderen zu Schmach, zu ewigem Abscheu.« Von einer Totenauferstehung *aller* Gestorbenen kann aber auch im Blick auf Dan. 12 keine Rede sein. Die Kontrastbildung »zu ewigem Leben — zu ewigem Abscheu« verrät, daß hier die in schwerer Anfechtung Leidenden mit einem ewigen Ausgleich getröstet werden sollen. Die Auferstehungshoffnung, die sich hier zu Wort meldet, ist nicht frei von Trost durch Schadenfreude. —

Fast ganz aus dem alttestamentlichen Rahmen zu fallen scheint der — wahrscheinlich später eingefügte — Satz aus der *Jesajaapokalypse* (25, 8): »Gott vernichtet den Tod auf immer.« Aber es ist diese Prophezeiung in

Wahrheit doch wohl die letzte Konsequenz eines Glaubens, der Gott als Schöpfer nicht nur, sondern als leidenschaftlichen Herrn und Partner eines Bundes kennt, in dem die *Liebe* regieren soll. Denn »die Liebe ist stark wie der Tod« (Hohes Lied 8, 6).

3. Neutestamentliche Einstellungen zum Tod

Im Neuen Testament kommt diejenige alttestamentliche Einstellung zum Tod mächtig zur Geltung, die im Alten Testament selbst am Rande steht: die Hoffnung auf Auferstehung von den Toten. Sie ist begründet in der Gewißheit eines göttlichen Sieges über den Tod. Eines Sieges — das ist sogleich hinzuzufügen —, der allerdings auch von Gott erst errungen werden mußte, der keineswegs von Ewigkeit her sicher war und der keineswegs von vornherein »alle Zweifel, alle Kämpfe ... in des Sieges hoher Sicherheit« schweigen ließ, um dafür »jeden Zeugen menschlicher Bedürftigkeit« auszuschließen. Gott und der Tod sind in der Sprache des Neuen Testaments Gegner, Feinde. Der Kampf, in dem Gott es mit dem Tod zu tun bekommt, in dem aber auch der Tod es mit Gott zu tun bekommt, ist die vom Glauben erzählte Geschichte Jesu Christi. Die neutestamentlichen Einstellungen zum Tode sind demgemäß ganz und gar bestimmt von der Einstellung zur Geschichte Jesu Christi. Was es mit dem Tode letztlich auf sich hat, das hat sich nach neutestamentlicher Auffassung im Tod Jesu Christi entschieden. Und was sich im Tod Jesu Christi entschieden hat, das wurde in der Auferweckung Jesu Christi von den Toten offenbar.

In der sog. modernen Theologie wird freilich über die Bedeutung des Todes Jesu und über die »Wirklichkeit« seiner Auferstehung heftig gestritten. Der Streit ist teilweise entartet, insofern man auf der einen Seite mit der Beteuerung der »Realität« der Auferstehung sich ernsthafter Denkarbeit entziehen zu können meint, und insofern man auf der anderen Seite den elementaren Sachverhalt ignorieren zu können meint, daß wir dem Glauben an die Auferstehung Jesu Christi allererst das Entstehen der neutestamentlichen Texte verdanken, die man gar zu gern von der Belastung mit eben diesem Ereignis entlastet sähe. Beide Positionen verfehlen den sachlichen Streit. Denn Realität und Wirklichkeit sind für die Auferstehung Jesu viel zu minderwertige Kategorien. Man kann sie im Blick auf dieses Ereignis jenseits aller Ereignisse nur in Anführungszeichen gebrauchen. Wahre Frömmigkeit hat das immer gewußt und die sprachlogischen Schwierigkeiten, in die unser Reden von der Auferstehung zwangsläufig gerät, willig eingestanden. Andererseits ist den nicht seltenen Bemühungen, die Rede von der Auferstehung Jesu als eine mehr oder weniger beliebige Redensart zu interpretieren, auf die der christliche Glaube letztlich nicht angewiesen sei, der Vorwurf nicht zu ersparen, den neutestamentlichen Texten gegenüber unwissenschaftlich zu verfahren. Wenn diese Texte einen sachlichen Ursprung haben, dann ist es der Osterglaube. Von den allzu Frommen wäre also etwas mehr noch an Gottvertrauen und von den allzu Kritischen wäre etwas mehr noch an Kritik zu erwarten, wenn sie in dem ernsthaften theologischen Streit um Tod und Auferstehung Jesu Christi weiterhin ernst genommen werden wollen. Dies als Zwischenbemerkung! —

Auf die verschiedenen im Zusammenhang der Frage nach der Auferstehung Jesu sich stellenden Probleme kann hier nicht eingegangen werden. Ein anderes Buch dieser Reihe gibt darüber Auskunft und darf hier vorausgesetzt werden, auch wenn dort manches anders beurteilt wird als von mir. Im Folgenden wird der Zusammenhang von Tod und Auferstehung Jesu Christi erörtert, soweit er für eine theologische Frage nach dem Tod des Menschen relevant ist. Vorausgesetzt ist dabei immer, daß die neutestamentlichen Aussagen über diesen Zusammenhang Glaubensaussagen sind. Auch eine dogmatische Reflexion verläßt den Horizont des Glaubens nicht, sondern führt vielmehr denkend in denselben ein. Gerade deshalb ist sie allerdings stets mit dem Unglauben konfrontiert.

a) Die sprachlogische und theologische Problematik der neutestamentlichen Rede vom Tod

Der Gegensatz zwischen den im Alten Testament und den im Neuen Testament erkennbaren Einstellungen zum Tod wird vielleicht am schärfsten durch eine sprachliche Verschiebung markiert, wie sie in den für unser Problem entscheidenden Texten Phil. 1, 20 f; Joh. 5, 24 und Joh. 11, 25 f vorliegt. Diese Texte sind zweifellos von der Theologie ihrer Verfasser, der Paulustext sicherlich auch von der persönlichen Situation des Apostels geprägt, bringen aber gleichwohl ein für die neutestamentliche Einstellung zum Tod generell zutreffendes Urteil über das Verhältnis von Leben und Tod (des Christen) zur Sprache.

Paulus schreibt aus dem Gefängnis, den drohenden Märtyrertod vor Augen, er freue sich darüber, daß Christus verkündigt wird, und er sei gewiß, daß Christus verherrlicht werde an ihm — »sei es durch Leben oder durch Tod; denn mir ist das Leben Christus und das Sterben Gewinn« (Phil. 1, 20f). Paulus fährt dann fort, er wisse nicht, was er vorziehen soll: »das Leben im Fleisch« oder das »Aufgelöstwerden und Mit-Christus-Sein«; das Sterben ziehe er zwar als das bei weitem Bessere vor, das »Dabeibleiben im Fleische« sei aber um der Gemeinde willen notwendiger.

Gegenüber dem Alten Testament fällt die Relativierung von Leben und Tod auf. Christus kann verherrlicht werden »sei es durch Leben, sei es durch Tod«. Bei Jesaja hieß es anders: »Nicht preist dich die Scheol, nicht lobt dich der Tod, nicht harren, die in die Grube hinabstiegen, auf deine Treue. Der Lebende, der Lebende allein, er preist dich wie ich heute« (Jes. 38, 18f). Daß Paulus anders urteilt, ist begründet in der Bedeutung, die Jesus Christus für ihn hat. Durch ihn sind Leben und Tod in ein neues Verhältnis zueinander gesetzt. Bezeichnenderweise urteilt Paulus nun aber nicht so, daß Christus zwar mit dem Leben, nicht aber mit dem Tod zusammengehöre. Vielmehr sind Leben *und* Tod durch Jesus Christus bestimmt. Dem entsprechen andere paulinische Äußerungen wie Röm. 14, 8f und Röm. 8, 38f, die besagen, daß wir im Leben und im Sterben unter der Herrschaft Jesu Christi sind, so daß weder Tod noch Leben (noch andere Mächte) uns von der Liebe Gottes trennen können, die in Jesus Christus da ist. Leben und Tod sind also nicht mehr Kriterien für das Gottesverhältnis des Menschen. Einziges Kriterium des Gottesverhältnisses ist vielmehr Jesus Christus und der Glaube an ihn.

Nun könnte aufgrund dieser Sätze freilich der Eindruck entstehen, als sei die Relativierung von Leben und Tod so zu verstehen, daß es letztlich gleichgültig ist, ob man lebe oder nicht. So haben immerhin auch stoische Philosophen geurteilt, die denn auch den »vernünftigen Abgang« des Freitodes ausdrücklich billigen, weil angesichts der zu bewahrenden Freiheit des Philosophen der Tod den Vorzug vor dem Leben verdienen kann. Das ist auch eine Relativierung von Leben und Tod zugunsten des höheren Wertes der Freiheit.

Für Paulus hat jedoch der Tod keineswegs den gleichen Wert wie das Leben oder gar einen höheren als dieses. Wenn ihm das Sterben willkommener erscheint als das Weiterleben, dann nur deshalb, weil auch das Sterben ihn gerade nicht der Macht des Todes überantwortet, sondern der Macht dessen, der den Tod überwunden hat und lebt. »Denn dazu ist Christus gestorben und lebendig geworden, daß er über Tote und Lebende herrsche« (Röm. 14, 9). Entsprechend heißt es Röm. 6, 9: »Christus, auferweckt von den Toten, stirbt hinfort nicht mehr; der Tod herrscht über ihn nicht mehr.« Und dieser Sachverhalt wird als Begründung für die Glaubensgewißheit angeführt, daß die Getauften mit Jesus Christus *leben* werden (V. 8). Und nun kann merkwürdigerweise von den Getauften gesagt werden, daß sie schon gestorben, nämlich mit Christus mitgestorben sind. Der Glaubende blickt auf seinen Tod bereits zurück, obwohl er noch sterben wird. Weil er aber auf seinen Tod schon zurückblickt, kann sein jetziges Leben gar nicht sein eigenes Leben sein. Vielmehr gilt: »ich lebe, doch nicht mehr ich, sondern Christus lebt in mir« (Gal. 2, 20). Wie nun? Die verwirrende Sprache, die der Apostel zu sprechen scheint, bringt einerseits Leben und Sterben des Christen in ein Gleichgewicht, das der alttestamentlichen Bestimmung des Verhältnisses von Leben und Tod eindeutig widerspricht. Andererseits wird in derselben Sprache dennoch dem Leben gegenüber dem Tod ein eindeutiger Vorzug gegeben, wobei allerdings das Prädikat »leben« ganz und gar von dem Subjekt her verstanden wird, zu dem es gehört: Jesus Christus, auferweckt von den Toten. Dieses Leben, dessen Eigentümer Jesus Christus ist, unterscheidet sich von dem Leben aller Menschen offensichtlich dadurch, daß das Leben aller Menschen *in den Tod führt,* während das Leben Jesu Christi *aus dem Tod kommt.* Und insofern Jesus Christus denen, die zu ihm gehören wollen, an diesem seinem Leben *Anteil gibt,* kommen auch sie schon aus dem Tod, obwohl auch sie noch sterben müssen. Aber das Sterben, das ihnen noch bevorsteht, unterscheidet sich nun so sehr von dem Tod, in den das menschliche Leben führt, daß es dem Leben gegenüber keine Konkurrenz mehr darstellt. Im Johannesevangelium heißt es deshalb messerscharf: »Ich bin die Auferstehung und das Leben. Wer an mich glaubt, wird auch dann leben, wenn er stirbt, und jeder, der lebt und an mich glaubt, wird nicht sterben in Ewigkeit« (Joh. 11, 25 f). Und ebenfalls in der pointierten Sprache des Johannesevangeliums: »Wer mein Wort hört und an den glaubt, der mich gesandt hat, der hat ewiges Leben, und er kommt nicht in das Gericht, sondern er ist aus dem Tod in das Leben gelangt« (Joh. 5, 24).

Sprachlich kann man das alles kaum ausdrücken, ohne sich einer verwirrenden Mehrdeutigkeit der Worte schuldig zu machen. Die Sprache der ersten christlichen Gemeinden und ihrer »Theologen«, die Sprache des Glaubens explodiert sozusagen. Nachdem Jahrhunderte philosophischer Arbeit die Dinge und die sie treffenden Wörter in ein korrektes Verhältnis zueinander zu bringen bemüht waren, damit Ordnung herrsche im Reich des Seins und im Reich der Gedanken, bringt der christliche Glaube eine unglaubliche Aufregung in die Sprache. Das geht bis an die Grenzen der Unverständlichkeit, so daß der Apostel die Gemeinde in Korinth sogar daran erinnern mußte, daß Gott kein Gott der Unordnung, sondern des Friedens ist (1. Kor. 14, 33). Aber gerade die Grenze zur Unverständlichkeit wird verständlich, wenn man bedenkt, was hier zur Sprache drängt. Und dann wird gerade die unglaubliche Aufregung in der Sprache des Glaubens zur fruchtbaren Anregung für eine Neuordnung der Gedanken, die das Unerhörte zu denken wagen, daß die (sonst im besten Fall am Ende aller Dinge akzeptable) Auferstehung von den Toten bereits geschehen ist: Jesus, getötet am Kreuz, lebt. Gerade die Explosion der Sprache bringt neues Sein zur Sprache, das gar keine Worte finden könnte, ohne die überlieferte Sprachwelt sozusagen platzen zu lassen.

In unserer Sprache arbeitet die Welt. Und durch unsere Sprache arbeiten wir an der Welt. Auch der Glaube spricht die Sprache der Welt. Aber er kann sie nicht sprechen, ohne sie zu verändern. Denn in der Sprache des Glaubens arbeitet das Ereignis der Auferstehung Jesu von den Toten. Dieses Ereignis verwehrt es der Sprache, sich auf Überlieferungen so zu fixieren, daß alles beim alten bleibt. Durch den Gebrauch, den der Glaube von der Sprache macht, arbeitet der Glaube seinerseits an der Welt. Und das verändert wiederum die

Sprache, in der die bearbeitete Welt arbeitet. Es bleibt weder im Sein noch in der Sprache beim alten. Das zeigt sich vor allem bei dem Versuch, von jenem Ereignis der Auferstehung Jesu Christi selber zu reden. Ein solcher Versuch mußte die überlieferte Rede von Leben und Tod »explodieren« lassen.

Um Mißverständnisse auszuschließen: gemeint ist nicht der Gebrauch des Wortes »Totenauferstehung«. Es gab eindeutig vor der Entstehung christlicher Gemeinden die Erwartung einer Totenauferweckung. Die jüdische Apokalyptik hält Vorstellungen und Ausdrücke zur Darstellung dieser Erwartung bereit. Der christliche Glaube hat davon Gebrauch gemacht. Aber er tat es, weil er an die Auferstehung Jesu Christi von den Toten, also an ein schon geschehenes Ereignis glaubte. Damit war alle bisherige Geschichte und alles weitere Geschehen auf der Erde und zwischen Himmel und Erde einer völlig neuen Beurteilung ausgesetzt. War Jesus von den Toten auferweckt worden, dann bedeutete das die Gegenwart des Endes der Zeit mitten in der Zeit, dann war das ein Gericht über die Welt mitten im Lauf der Welt. Der weitere Lauf der Welt mit aller weiteren Geschichte und der ihr bleibenden Zeit war von daher neu zu beurteilen. Er konnte nun unmöglich nur noch Ablauf des in uralter Vergangenheit Begonnenen und Angelegten, konnte unmöglich nur noch Schicksal, nur noch Konkursmasse sein. Der christliche Glaube verstand die Welt im Horizont einer mit der Auferstehung Jesu Christi einsetzenden neuen Geschichte, der ein neues Zeitverständnis entsprach (E. Fuchs). Und das neue Zeitverständnis bewirkte jene Explosion der Sprache, zu der die neue Bestimmung des Verhältnisses von Tod und Leben gehört.

Versucht man, die sprachliche Aufregung des Neuen Testaments in dieser Sache, die von unentschiedener Aufgeregtheit wohl zu unterscheiden ist, zugunsten terminologischer Eindeutigkeit zu interpretieren, dann wird man darauf zu achten haben, daß das Aufregende in der neuen Rede vom Tod durch die Strenge der Begriffe nicht verdeckt wird. Die Bemühung um terminologische Eindeutigkeit müßte vielmehr das Aufregende der neutestamentlichen Einstellung zum Tode so zur Geltung bringen, daß die Information darüber zugleich zur Diskussion zwingt.

Die Ausführungen des Paulus über die Einstellung des Christen zum Tod nötigen zur Unterscheidung verschiedener Bedeutungsnuancen im Gebrauch der in das Wortfeld »Tod« gehörenden Ausdrücke. Denn Paulus kann — wie Johannes — davon reden, daß der Glaubende den Tod schon erlitten hat, daß er — durch das Gesetz dem Gesetz — gestorben ist (Gal. 2, 19), daß er in der Taufe mit Christus begraben worden ist (Röm. 6, 4). Andererseits kann Paulus sagen, daß er das Sterben, das ihm noch bevorsteht, für Gewinn erachte (Phil. 1, 21). Schließlich redet er davon, daß er den Tod Jesu an seinem Leibe herumtrage (2. Kor. 4, 10).

Es ist deutlich, daß Paulus den Tod, den der Glaubende *schon gestorben ist,* immer *negativ* qualifiziert versteht. Das ist der Tod, vor dem man sich fürchten mußte. Denn dieser Tod ist das Fazit der Sünde (Röm. 6, 23), also die Folge jenes Dranges in die Verhältnislosigkeit, der dem Abbruch der Beziehung zu Gott korrespondiert. Als Folge der Gottlosigkeit ist er zugleich die Wahrheit der Gottlosigkeit. Dieser Tod bringt an den Tag, was dabei herauskommt, wenn der Mensch in allem, was er tut und läßt, nur sich selbst zu verwirklichen trachtet: er verwirkt sein Leben und sein Recht auf Leben.

Der so verstandene Tod ist also nicht ein gegenüber der Sünde des Menschen besonderes, gegenüber dem Wesen der Sünde beliebiges, weil in das Belieben eines strafenden Gottes gestelltes göttliches Eingreifen, sondern ein aus dem Wesen der menschlichen Sünde gesetzlich folgendes und insofern dann auch strafendes Ereignis. »Der Tod ist die Sichtbarkeit der Schuld« (Rahner). Deshalb ist es angemessen, zu behaupten: der Sünder verwirkt sein Leben und sein Lebensrecht.

Verwirken ist das richtige Wort, weil der Mensch ja in der Tat *am Werke* ist, wenn er sich diesen Tod zuzieht. Der gottlose Drang in die Verhältnislosigkeit vollzieht sich ja durchaus in einem konkreten Verhalten. Und auch der menschliche Versuch der Zerstörung der Gottesbeziehung ereignet sich ja nicht außerhalb, nicht abseits dieser Beziehung, sondern indem der Mensch sich auf Gott bezieht — nämlich so auf Gott bezieht, daß Gott selbst dabei überflüssig wird. Paulus nennt das Selbstrechtfertigung (Röm. 10, 3), d. i. die Degradierung Gottes zum bloßen Vollstrecker eines menschlichen Urteils über den Menschen. Der Mensch richtet, und Gott soll vollstrecken. Der Mensch spricht sich selber gerecht und frei, und Gott soll es besiegeln. Gott soll sehr wohl über allem sein, sehr wohl über dem Menschen thronen; aber eben da und nur da soll er sein, damit der Mensch unter ihm freie Hand hat, sein eigener Richter zu sein. Doch indem der Mensch Gott derart über uns festzusetzen versucht, setzt er Gott herab, degradiert er Gott, zerstört er sein Gottesverhältnis. Der neuzeitliche Atheismus ist ein demgegenüber relativ harmloses Phänomen.

Daß der Mensch sein Leben und das ihm gewährte göttliche Recht auf Leben verwirkt, ist nach neutestamentlicher Auffassung das Wesen desjenigen Todes, den der Sünder sterben muß. Wir können diesen Tod mit der Tradition den *Fluchtod* nennen. Er ist der Fluch der bösen Tat, die alles verhältnislos macht und so in der Tat fortzeugend Böses gebären muß, bis sie als letztes den Tod gebiert, der die Nichtigkeit eines verhältnislosen Lebens offenbart, indem er es zunichte macht. Von diesem Fluchtod redet das Neue Testament wie von einer Macht. Er herrscht (Röm. 5, 14. 17). Man ist ihm ausgeliefert. Doch eben diese vernichtende Macht des Todes ist die Macht, die der Mensch gegen sich selbst aufbietet. Nichts ist mächtiger auf Erden als diejenige Konsequenz unseres Tuns, die wir nicht beabsichtigen: der Fluchtod herrscht in der Konsequenz unseres Tuns. Er wird vom Menschen allererst etabliert. Insofern werden wir von diesem Fluchtod sagen müssen, daß er im Grunde des Menschen eigene Tat ist. Der Mensch zieht sich den Tod zu, diesen Tod.

Wenn Paulus von diesem Fluchtod redet und von den Christen behauptet, sie hätten ihn nicht mehr vor sich, obwohl doch auch ihnen noch ein Ende bevorsteht, dann bringt er damit zum Ausdruck, daß das Lebensende des Menschen auch noch unter einem ganz anderen Gesichtspunkt beurteilt werden kann als unter dem der Sünde. Der Tod muß nicht Fluchtod sein. Das Sterben kann auch ein Ende ohne Schrecken sein. Es kann sogar Gewinn sein. Wie ist das zu verstehen?

Ganz eindeutig nur so, daß dem Glaubenden der Fluchtod, den sich der Mensch zuzieht, erlassen worden ist. Das ist gemeint, wenn es heißt: ich bin gestorben. Tote pflegen nicht zu reden. Wenn Paulus dennoch sagt »ich bin durch das Gesetz dem Gesetz gestorben«, dann kann das nur so verstanden werden, daß er dem Machtbereich des Fluchtodes entnommen worden ist. Und das heißt nach dem oben Gesagten, daß der Mensch der Konsequenz seines eigenen Dranges in die Verhältnislosigkeit entnommen ist. Die Macht, die der Mensch selber gegen sich aufbietet, so daß er der Konsequenz seines eigenen Tuns nicht mehr entrinnen kann, ist gebrochen. Die Frage des sein Leben verwirkenden »elenden« menschlichen Ich »wer wird mich erlösen aus dem Leibe dieses Todes?« (Röm. 7, 24) läßt sich beantworten. Wir werden darauf eingehen.

Zuvor soll jedoch in diesem Kapitel noch zur terminologischen Klärung das vom Fluchtod befreite menschliche Sterben auf einen Begriff gebracht werden. War der Fluchtod die Folge des menschlichen Dranges in die Verhältnislosigkeit, so dürfte die Befreiung von dieser Art des Todes in einer neuen Begründung der Verhältnisse bestehen, innerhalb derer allein sich Leben vollziehen kann. Wohlgemerkt: es geht nicht um die menschliches Leben überhaupt ermöglichenden Verhältnisse. Es geht um die condition humaine. Neue Verhältnisse dieser Art zu schaffen ist ein *schöpferisches* Werk, das schöpferische Werk schlechthin, Werk Gottes des Schöpfers. Neue Verhältnisse dieser Art sind aber begründet in einem neuen Verhältnis Gottes zum Menschen, durch das *der Mensch* aufs neue geschaffen wird (2. Kor. 5, 17). War die erste Schöpfung auf den Menschen hingeordnet, so daß alle Lebensverhältnisse da waren, bevor der Mensch geschaffen wurde, so beginnt die neue Schöpfung umgekehrt mit dem neuen Menschen, damit dann mit dem neu geschaffenen Menschen und durch ihn neue Verhältnisse der Art geschaffen werden, wie sie die condition humaine verlangt.

Zu diesen Verhältnissen gehört es, daß sie nicht abgebrochen werden, so daß das Ende eines Lebens also etwas anderes als Abbruch wäre. Gottes schöpferisches Verhältnis zum Menschen schließt den Abbruch dieses Verhältnisses aus, nicht aber das Ende des menschlichen Lebens. Wir verbinden zwar mit dem Begriff des Schöpfers in der Regel nur den des Anfanges und Anfangens des Geschöpfes. Doch mit welchem Recht eigentlich? Zum biblischen Begriff des Schöpfers gehören auf seiten des Geschöpfs durchaus Anfang *und* Ende. Ein Ende unterscheidet sich vom Abbruch theologisch dadurch, daß auf den Abbruch nichts folgt, daß jenseits des Abgebrochenen nur noch Nichts, das Nichtsein also des Abgebrochenen sein wird, während auf das Ende Gott folgt, jenseits des Beendeten also nicht Nichts ist, sondern derselbe Gott, der zu Anfang war. Wir werden es lernen müssen, von daher nicht nur den Anfang, sondern auch das Ende, das Gott macht, als eine Wohltat anzusehen.

Das Ende, das *Gott* macht! Nicht das Ende, das wir machen. Das Ende, das Menschen anderen Menschen und mitunter sich selber bereiten, gehört in die Kategorie des Fluchtodes, und zwar auch dann, wenn der zu sterben Gezwungene diesen Tod zu akzeptieren vermag und sterben kann. Deshalb darf auch der Märtyrertod nicht gesucht werden.

Das Lebensende, das nicht wir machen, ist demgemäß zwar auch ein vom Menschen zu erleidendes Ereignis. Aber der Mensch ist im Erleiden dieses Todes in anderer Weise passiv als im Erleiden des als Konsequenz seines eigenen Tuns verschuldeten Fluchtodes. Im Fluchtod ist der Mensch das Subjekt einer Aktivität, die er dann passiv erleiden muß. Das vom Fluchtod befreite Lebensende hingegen erleidet der Mensch in einer Passivität, die durch die Aktivität des Schöpfers bedingt ist. Eine solche Passivität kann kein Übel sein. Wir werden auch hier lernen müssen, nicht jedes Erleiden schon für ein Leid zu halten.

Es gibt eine Passivität, ohne die der Mensch nicht menschlich wäre. Dazu gehört, daß man geboren wird. Dazu gehört, daß man geliebt wird. Dazu gehört, daß man stirbt. Wir werden gut daran tun, aus der Tatsache, daß Menschen von Menschen geboren werden und von Menschen geliebt werden, nicht die falsche Konsequenz zu ziehen, daß diese Grundpassivitäten des menschlichen Daseins ohne göttliche Aktivität wären, was sie sind. Gott ist der Schöpfer jedes Menschen. Und wo immer ein Mensch — wirklich — geliebt wird, ist Gott nicht ferne. Dabei ist es durchaus der Mensch, der den Menschen liebt. Menschliche Aktivität schließt den Schöpfer nicht aus.

Doch die göttliche Aktivität des *Beendens* schließt menschliche Beteiligung aus, weil hier jede menschliche Aktivität doch nur ein illegitimer Vorgriff wäre. Auf die ethische Problematik dieser These wird zurückzukommen sein. Jetzt geht es um die theologische Grundlegung. Und für die ist es entscheidend, daß der Tod als das von Gott gewollte Lebensende den Menschen in eine letzte Passivität führt, die zu seinem Menschsein gehört, als dessen gute Grenze.

Wir haben uns damit gegen eine in der Philosophie, aber auch in der katholischen Theologie eindrucksvoll vertretene Theorie ausgesprochen, die den Tod als letzte Entscheidung, als die das eigene Leben vollendende Tat des Menschen (Rahner), als »*die* Tat des Wollens schlechthin« (Boros) interpretiert. Diese Interpretation ist biblisch unhaltbar. Sie läßt sich nicht einmal für den Fluchtod des Sünders halten, insofern die das Leben verwirkende Tat den Tod, den sie bewirkt, ja gerade nicht will. —

Terminologisch werden wir das vom Fluchtod befreite Lebensende nun als den *natürlichen Tod* im Sinne des zur Natur des Menschen gehörenden Endes seines Daseins kennzeichnen können. Daß dieser natürliche Tod zum Fluch werden konnte, ist nicht seine, sondern des Sünders Schuld. Daß das Lebensende des Menschen kein Fluchtod sein muß, entnehmen wir dem terminologisch einigermaßen merkwürdigen Tatbestand, daß im Neuen Testament der das Sein des Menschen bedrohende Fluchtod vom Lebensende eines Menschen zeitlich unterschieden werden kann: Paulus und Johannes sagen von den Glaubenden, daß sie diesen Tod vor ihrem Lebensende schon hinter sich haben. Die Johannesapokalypse sagt umgekehrt von den Gottlosen, daß sie sogar nach ihrem Lebensende diesen Tod noch vor sich haben in einem letzten Gericht (Off. 20, 11—15), und nennt diese als definitiv verstandene Vernichtung den »zweiten Tod« (Off. 20, 6. 14).

Die Rede vom *zweiten Tod*, religionsgeschichtlich auch in der Literatur des alten Ägypten und in mandäischen Texten belegt, ist allerdings mißverständlich. Sie verdeckt das sprachlogische Problem, das durch die neutestamentlichen Einstellungen zum Tod aufgeworfen worden ist. Und es war keine glückliche Entscheidung, daß die kirchliche Tradition — vor allem unter dem mächtigen Einfluß Augustins — diesem Sprachgebrauch folgte. Begründet ist die Übernahme des apokalyptischen Sprachgebrauches wohl darin, daß die Rede vom zweiten Tod in besonderer Weise geeignet war, dem platonischen Todesverständnis in die christliche Theologie Eingang zu verschaffen. Augustin hat eine sehr differenzierte Lehre vom Tod entwickelt, in der er biblisches und platonisches Todesverständnis dadurch zu vereinen versucht hat, daß er theoretisch sogar viererlei Tod unterschied: den Tod der Seele, die dennoch unsterblich genannt wird, den Tod des Leibes, den Tod beider zusammen als Tod des ganzen Menschen und den — zweiten — Tod des ganzen, von den Toten auferweckten und also wieder als Einheit von Seele und Leib existierenden Menschen. Der Tod der Seele tritt nach Augustin ein, wenn Gott die Seele verläßt, der Tod des Leibes hingegen, wenn die den Leib belebende Seele diesen verläßt, der Tod des ganzen Menschen aber, wenn eine von Gott verlassene Seele den Leib verläßt; der zweite Tod jedoch ereignet sich, wenn die von Gott verlassene Seele mit dem von der Seele verlassenen Leib so wiedervereinigt wird, daß der von den Toten auferweckte Mensch nur gerade so weit lebt, um ohne Aufhören *sterben* zu können und so ohne Ende *leiden* zu müssen.

Dieses Verständnis des zweiten Todes als eines ewigen Sterbens ist also das genaue Gegenstück zur platonischen Auffassung vom Tode des Menschen, die für den »ersten« Tod des Menschen übernommen wird. Was über den zweiten Tod von Augustin gesagt wird, entspricht aber ziemlich genau dem, was der platonische Sokrates im Jenseitsmythos des »Phaidon« von den Seelen der unheilbaren Verbrecher andeutet (107c): Für die, die das Gute nicht wollen, ist Unsterblichkeit — ausgerechnet sie! — »eine große Gefahr«, nämlich die Gefahr, für immer im Tartaros bleiben zu müssen. Augustin sagt entsprechend: nicht der Tod, der sich »durch Trennung von Seele und Leib vollzieht«, sondern der Tod, der sich »durch die Verbindung beider zum Zwecke ewiger Pein« vollzieht, ist »von allen Übeln das schlimmste«. Denn »niemals wird es für den Menschen so schlimm sein im Sterben als da, wo der Tod selbst nie im Sterben sein wird«.

Das theologisch und hermeneutisch Bedenkliche an diesen und ähnlichen Versuchen, die apokalyptische Rede vom zweiten Tode dogmatisch auszubauen, besteht darin, daß hier der Zusammenhang mit dem die irdische Lebenszeit beendenden Tod sowohl sprachlogisch als auch theologisch so gut wie verlassen ist. Das aber kann man von den paulinischen und johanneischen Aussagen über den Tod, den der Glaubende schon hinter sich hat, nicht sagen. Es ist sprachlogisch sinnvoll, das Wort »Tod«, das auf jeden Fall zur Bezeichnung des Endes der Lebenszeit eines Menschen dient, zum Beispiel aufgrund der vor diesem Ende bestehenden Todesfurcht, in einem qualifizierten Sinn negativ zu gebrauchen und diesen qualifizierten negativen Gebrauch des Wortes »Tod« von seiner Funktion, das Faktum des Lebensendes zu bezeichnen, zu unterscheiden. In diesem Sinne haben wir vom Fluchtod im Unterschied zum natürlichen Tod gesprochen. Ohne die Bedeutung des Ausdruckkes »Tod« im Sinne von »Ende der menschlichen Lebenszeit« wäre aber die andere qualifiziert negative

Bedeutung desselben Wortes funktionslos. Der qualifiziert negative Gebrauch des Wortes »Tod« setzt also die Bedeutung »Lebensende« immer mit. Der Fluchtod ist auf jeden Fall Lebensende, aber eben ein schreckliches Ende, Ende als Abbruch. Das gilt auch für die Aussagen, die behaupten, der Fluchtod sei bereits eingetreten. Paulus folgert ganz konsequent, daß man sich dementsprechend als *tot* zu beurteilen habe (Gal. 2, 19; Röm. 6, 11) und daß der derart Gestorbene von sich aus nicht mehr lebe und also nicht mehr sich selber lebe (2. Kor. 5, 15; Röm. 6, 10): »Ich lebe, doch nun nicht ich, sondern Christus lebt in mir.« Die Rede vom Fluchtod ist also sprachlogisch sinnvoll, und die Behauptung, daß der Glaubende diesen Tod nicht mehr vor sich habe, ist eine theologische These, die zwar noch der Begründung bedarf, aber sprachlogisch durchaus verantwortbar ist.

Die Rede von einem zweiten Tod jenseits dieses Lebens und also nach dem Ende der Lebenszeit hingegen ist sprachlogisch kaum zu rechtfertigen. Sie nimmt zwar numerisch auf den Tod im Sinne des Lebensendes Bezug, insofern sie eben von einem zweiten Tod redet, der einen ersten voraussetzt. Aber inhaltlich führt sie im Grunde diese Bedeutung des Ausdrucks »Tod« ad absurdum. Die Rede vom zweiten Tod nimmt den numerisch vorausgesetzten ersten Tod als Ende des Lebens nicht ernst.

V. Der Tod Jesu Christi

Der Tod als Passion Gottes

1. Jesu Tod als Heilsereignis

Nach dem Tod fragen heißt: das Leben befragen. Die Theologie befragt das Leben, das sich dem Tode Jesu Christi verdankt, nach diesem Tod. Inwiefern bestimmt der Tod Jesu Christi das Leben der Christen? Und was bedeutet der Tod Jesu Christi für den Tod, den wir alle sterben müssen?

Daß man nach einem *christlichen Todesverständnis* überhaupt fragen kann, ist eine Folge der Bedeutung, die der Tod Jesu für das Entstehen des christlichen Glaubens hat. Die Verkündigung des Todes dieses einen Menschen hat eine unvergleichliche Funktion in der Geschichte unserer Welt. Man übertreibt keineswegs, wenn man behauptet, daß es ohne Jesu Tod zu einer christlichen Verkündigung, zu christlichem Vertrauen und Hoffen auf Gott und folglich zu einem genuin christlichen Verständnis des Wortes »Gott« überhaupt nicht gekommen wäre. Der Tod Jesu hatte entscheidende Bedeutung für die Einstellung der Glaubenden zum Leben und also auch zum Tod. Der Tod Jesu war zunächst für Paulus — aber nicht nur für ihn — das Heilsereignis schlechthin.

Jesus selbst hatte freilich seinem eigenen Tod keine erkennbare Bedeutung gegeben. Die exegetische Erforschung des Neuen Testaments hat es als in hohem Maße wahrscheinlich erwiesen, daß alle neutestamentlichen Aussagen, die den Tod Jesu als Heilsereignis verstehen, erst nach Jesu Tod entstanden sind. Sie setzen die Auferstehung Jesu, genauer: den Glauben an den Auferstandenen voraus. Ein Mensch, der Gottes Nähe den Gottlosen bedingungslos zusagte und das Gebot der Liebe den Lieblosen gegenüber kompromißlos zur Geltung brachte, mußte zwar durch Wort und Tat erbitterten Widerspruch — nicht nur der herrschenden Autoritäten — hervorrufen und mußte wohl auch selber mit der Möglichkeit eines gewaltsamen Endes rechnen. Aber Jesus hat sein Lebensende, jedenfalls in den uns erhaltenen und mit hoher Wahrscheinlichkeit auf ihn selbst zurückführbaren Worten, nicht als ein für das Leben und Sterben anderer Menschen bedeutsames Ereignis angekündigt. Wir wissen auch nicht, wie er das über ihn verhängte Todesurteil aufgenommen hat. Selbst die Worte des Gekreuzigten sind dem sterbenden Jesus wahrscheinlich erst nachträglich zugeschrieben worden. So gut wie sicher ist jedoch die Überlieferung, daß Jesus schreiend gestorben ist.

Auch von *Jesu Anhängern* wurde seine Kreuzigung zunächst zweifellos als das Gegenteil eines rettenden Ereignisses erfahren. »Sie verließen ihn und flohen alle« (Mark. 14, 50; vgl. Luk. 24, 21; Joh. 20, 19). Es bedurfte, um dem Tod Jesu einen positiven Sinn abgewinnen zu können, der besonderen Erfahrung, daß Gott den als Verbrecher Exekutierten nicht verlassen hatte, ihn vielmehr einer Reihe von Personen einige Zeit nach der Hinrichtung als Repräsentanten eines neuen, zukünftigen Lebens vor Augen geführt hat. Und auch die

Verarbeitung dieser Erfahrung brauchte ihre Zeit, geschah keineswegs wie von selbst und auch keineswegs überall. Zwar konnte schon Paulus, dessen Briefe die ältesten Schriften des Neuen Testamentes sind, auf Traditionen verweisen, die Jesu Tod in verschiedener Hinsicht als Heilsereignis interpretieren, nämlich als stellvertretenden Sühnetod (1. Kor. 11, 24; 15, 3), als Passahopfer (1. Kor. 5, 7), als Bundeserneuerung (Röm. 3, 24 f). Aber zur selben Zeit gab es doch auch Gemeinden, die Jesu Auferstehung so verstanden, daß sein Tod durch dieses Ereignis vollends bedeutungslos wurde.

Der Apostel *Paulus* hält das allerdings für ein fundamentales Mißverständnis, ja für die Infragestellung des christlichen Glaubens schlechthin. Er versteht die Auferweckung Jesu durch Gott gerade umgekehrt als dasjenige Ereignis, das den Tod Jesu unendlich wichtig erscheinen läßt. Deshalb verkündigt der Apostel den Auferstandenen als den für uns Gekreuzigten. Und das ist etwas sehr anderes, als von dem Gekreuzigten nur eben dies zu behaupten: er ist nicht mehr tot, er lebt. Käme es darauf an, die Auferstehung Jesu nur als eine Art Rückgängigmachung seines Todes zu verkündigen, dann wäre es wohl auch kaum zur Bildung der literarischen Gattung »Evangelium« gekommen. Denn zumindest das älteste Evangelium nach Markus ist nichts anderes als eine aufgrund der Auferstehung erzählte »Passionsgeschichte mit ausführlicher Einleitung« (Kähler). Die Auferweckung Jesu macht nun klar, warum Gottes »geliebter Sohn« (Mark. 1, 11) sterben mußte. Sie nötigt dazu, Jesu Leben als eine Geschichte zu erzählen, die in den Tod führen mußte und nach Gottes Willen in den Tod führen sollte (Mark. 8, 31). Das Neue Testament erzählt wenig vom neuen Leben des Auferweckten und an Gottes Seite Erhöhten, aber viel vom irdischen Jesus, was erst durch seine Auferstehung verständlich wird. Das gilt vor allem für Jesu Tod.

Die *Interpretationen,* die der Tod Jesu im Neuen Testament gefunden hat, sind selbstverständlich verschieden. Auch hier gibt es Gegensätze, die uns zu kritischer Lektüre zwingen.

Die paulinische Theologie ist sicherlich als ganze Theologie des Kreuzes und nichts sonst. Die Apostelgeschichte hingegen kennt den Tod Jesu fast nur als Folie für die Auferstehung, als einen von Gott dann doch wieder korrigierten Justizirrtum. Im Hebräerbrief wiederum wird Jesu Tod als Qualifikation zum Amt des himmlischen Hohepriesters und zugleich als befreiender Durchbruch durch die von Todverfallenheit und Todesfurcht bestimmte Welt ausgelegt. Sobald das Leben Jesu vollends vom Geschehen der Menschwerdung des göttlichen Sohnes oder Wortes her interpretiert wurde, bekam der Tod Jesu abermals eine andere Bedeutung. Das entscheidende Heilsereignis wurde nun am Anfang des geschichtlichen Daseins Jesu lokalisiert, der Tod Jesu dementsprechend als Abschluß seiner gehorsamen Selbsthingabe aufgefaßt. Dies ist schon in dem von Paulus vorgefundenen und durch Zusätze korrigierten Hymnus Phil. 2, 6 ff, erst recht im Johannesevangelium der Fall. Im Tod Jesu wird jetzt der Sieg des »Lichtes des Lebens« über die Finsternis wahrgenommen, die es nicht vermochte, das Licht zu überwältigen.

Das sind nur Beispiele, die anzeigen sollen, daß uns das Neue Testament keine einheitliche Lehre über den Tod Jesu anbietet. Dennoch ist aufgrund des in sich vielfältigen und wohl auch widersprüchlichen Zeugnisses des Neuen Testaments eine dogmatische Besinnung auf die Bedeutung des Todes Jesu sehr wohl möglich. Man muß sich nur klarmachen, daß die Bibel kein Buch voller problemloser Antworten ist, sondern ein Buch, das von dem »Einen, was not tut« redet, indem es uns Fragen stellt, Probleme liefert, uns zum Denken zwingt. Wer die Bibel mit Verstand liest, weil er sich von dem, was sie zu sagen hat, etwas verspricht, kommt nicht darum herum, in *eigener Verantwortung* das Wort zu nehmen. Dazu ist die Bibel schließlich da. Theologie und Kirche sind die dabei in der Regel erforderlichen Hilfsmittel. In eigener Verantwortung das Wort nehmen bedeutet ja in Sachen des Glaubens notwendig, nach Worten zu suchen, in die andere Menschen einstimmen können, ohne dadurch ihrerseits von der Verantwortung für das in diesen Worten Gesagte dispensiert zu werden.

Aufgrund der biblischen Texte in eigener Verantwortung das Wort zu nehmen, wenn es um die Bedeutung des Todes Jesu Christi geht, bleibt auch einer allgemeinen theologischen Untersuchung des Todesproblems nicht erlassen. Wir fragen deshalb in diesem Kapitel nach der Notwendigkeit, aufgrund derer der Tod Jesu für die Entstehung des christlichen Glaubens entscheidend wurde. Dann erst soll die Bedeutung des Todes Jesu für die Frage nach unserem eigenen Tod erörtert werden.

2. Jesu Leben und der Glaube an Gott

Jesus hat in der kurzen Zeit seiner öffentlichen Wirksamkeit denen, die es hören wollten, aber auch denen, die es ganz und gar nicht hören wollten, Gottes hilfreiche und unter keine Bedingung fallende Nähe verkündigt. Er tat es mit Wort und Tat.

Jesus *redete* vom Himmelreich, von der Herrschaft Gottes, wie man wohl besser übersetzt. Und er redete so von dieser Herrschaft Gottes, daß man die Nähe des herrschenden Gottes nicht als Angriff eines machthungrigen Unterdrückers, sondern als befreiende Nähe eines auf Menschlichkeit bedachten Gottes erfahren konnte. Jesus verwies dabei zweifellos den Menschen auf — den Menschen. Die Nähe eines auf Menschlichkeit bedachten Gottes kann gar nicht anders als eben so Ereignis werden, daß der Mensch auf den Menschen verwiesen wird.

Eine Zwischenbemerkung zu einer heute weit verbreiteten kurzschlüssigen Alternative dürfte in diesem Zusammenhang nicht unangebracht sein. Die zu bestreitende Alternative lautet: Göttlichkeit oder Menschlichkeit. Sie begegnet auch bei einem so sauber denkenden Exegeten wie Herbert Braun. Denn daß Gott, wenn er »dem armen und schuldigen Menschen ... hier auf Erden Zuwendung« begegnen läßt, »nicht senkrecht von oben auf die Menschen« einwirkt, ist doch wohl eine etwas reichlich kurz gegriffene Alternative. Sicherlich, »oben« ist eine leicht zu mißbrauchende Metapher. Das konnte die Christenheit schon bei Martin Luther lernen, nicht erst bei Ernst Bloch, der Gott offensichtlich nur mit repressiver Obrigkeit zu assoziieren vermag. Entscheidend ist aber gar nicht, ob man nun »von oben« oder »von vorn« oder »aus der Zukunft« oder »von nebenan« sagt, wenn man vom Wirken Gottes redet. Entscheidend ist, daß man »von Gott« sagt und meint, wenn man von Gottes Wirken redet. Gottes Wirken kommt von Gott. Das war gemeint, wenn man einst »senkrecht von oben« sagte. Daß Gottes Wirken von anderen *Menschen* her begegnet, schließt in keiner Weise aus, daß es auch in dieser Mittelbarkeit von Gott selber kommt. Hier eine Alternative behaupten zu wollen heißt, die theologische Arbeit dort abzubrechen, wo ihre eigentlichen Schwierigkeiten und Schönheiten erst anfangen. Soviel dazu. —

Jesus hat nicht nur mit Worten verkündigt, sondern durch seine *Taten* auch demonstriert, daß Gottes auf Menschlichkeit bedachte Herrschaft nahe ist. Im Verhalten dieses Menschen ereignete sich eine Zuwendung zum anderen Menschen, und zwar pointiert zu denjenigen, denen Anerkennung und Nachbarschaft durch die reguliert existierenden Mitmenschen versagt blieb. Und in dieser seiner menschlichen Zuwendung zu Menschen hat Jesus Gottes Nähe demonstriert. Jesu Verhalten war nicht weniger als seine Verkündigung ein *Gleichnis* auf die Nähe Gottes.

Gleichnisse zielen auf eine Pointe. So wie man am Ende eines gelungenen Witzes lachen muß und im Ereignis des Lachens das Gesagte beim Hörenden »angekommen« ist und dieser zugleich beim Gesagten — denn jeder gelingende Witz lockt den Hörenden aus sich heraus —, so kommt am Ende eines Gleichnisses Jesu die Sache, von der die Rede war, beim Hörer an und dieser bei der Sache. Und man kann nun nur dabei bleiben, oder aber man muß Widerstand leisten gegen das, worauf man sich mit seinem Zuhören eingelassen hat. Ist nun auch

Jesu Verhalten ein Gleichnis der Nähe Gottes, dann mußte es zur Zustimmung oder aber zum Widerspruch provozieren. Daß man Jesus vorwarf, ein Fresser und Weinsäufer zu sein (Matth. 11, 19), läßt erkennen, auf welch erbitterten Widerstand sein Anspruch stoßen mußte, durch seine Tischgemeinschaft mit Zöllnern und Sündern die Nähe Gottes zu diesen Menschen anzusagen und abzubilden.

Die Entscheidung, die Jesus seinen Mitmenschen ermöglichte, aber auch abnötigte, bekam ihre besondere Dringlichkeit überdies durch die *zeitliche Erwartung,* die Jesus mit der Ankündigung der Nähe Gottes verband. Es ist nicht zu verkennen, daß Jesus die Nähe der Gottesherrschaft als eine zeitliche Näherung aufgefaßt hat, und zwar als eine zeitlich kaum noch zu überbietende Näherung. Man nennt das »Naherwartung« und betont gern, daß Jesus mit dieser Naherwartung einer zu seiner Zeit üblichen apokalyptischen Einstellung zum bevorstehenden Ende aller Dinge zum Opfer gefallen sei. In der Tat hat Jesus erwartet, mit seinen Anhängern noch in einer neuen Welt, eben im Reiche Gottes auf Erden Wein zu trinken (Mark. 14, 25). Und unbestreitbar ist es anders gekommen, ist Jesus getötet worden, bevor die Weltgeschichte an ihr Ende gelangt war. Sie ist auch heute nicht an ihrem Ende, und man darf sich wohl fragen, ob sie ihrem Ende auch nur einen Schritt nähergekommen ist.

Eine ganz andere Frage ist es freilich, ob umgekehrt jenes Ende, dessen Nähe wir inhaltlich als die Nähe des auf Menschlichkeit bedachten Gottes beschrieben haben, seinerseits der Geschichte der Menschheit nicht dennoch näher gekommen ist. Die vom Apokalyptiker erwarteten Begleitumstände des Endes der Geschichte sind schließlich nicht das Gesetz, nach dem Gott anzutreten hat. Dieser Meinung ist offensichtlich auch Jesus selber gewesen, dessen »Naherwartung« von einer »Berechnung der Zeiten« und von kosmischen Signalen des Weltenendes wenig wissen wollte. Ihm war die Nähe Gottes näher noch, so daß der auch von ihm bevorzugte *zeitliche* Ausdruck dieser Nähe zugleich *personal* interpretiert werden muß. Jesus *glaubte* an die Nähe Gottes. Das war mehr als Hoffnung auf etwas Kommendes. Wer das Kommende ankommen sieht, braucht nicht mehr darauf zu hoffen. Er ist gewiß. Jesus, so wird man sagen dürfen, war sich der Nähe Gottes gewisser als seiner selbst. Er wußte sich selbst ganz und gar von der Nähe der Gottesherrschaft bestimmt, ohne dabei seiner Welt auch nur im geringsten untreu zu werden. Dieses personale Bestimmtsein überbot die zeitliche Differenz zwischen »Schon jetzt« und »Noch nicht« in einer nicht zeitlichen Weise, also ohne die zeitliche Differenz einfach aufzuheben. Nur so ist ein Satz wie Luk. 11, 20 zu verstehen: »Wenn ich mit dem Finger Gottes die Dämonen austreibe, so ist die Gottesherrschaft doch bereits bei euch im Anzuge.« Daß Jesus sich mit seiner »Naherwartung« getäuscht habe, ist deshalb gleichermaßen richtig und falsch.

Man kann sich das an einem weiteren Problem klarmachen, das mit dieser personalen Bestimmtheit durch die Nähe der Gottesherrschaft zusammenhängt. Jesus hat keine *messianischen Würdetitel* für sich in Anspruch genommen, sich selbst also nicht als eine auszuzeichnende Person dargestellt. Erst die österliche Gemeinde hat ihn christologisch tituliert, hat ihn Messias, Gottessohn,

Menschensohn, Herr und Wort Gottes genannt. Der Glanz dieser Titel umstrahlte dann freilich auch das irdische Leben Jesu, das man sich in der Gemeinde erzählte. Doch inzwischen war einiges geschehen, das Jesus in der Tat in einem neuen Licht erscheinen ließ: Ostern. Vorher stellte sich Jesu Leben anders dar, mußte es sich anders darstellen. Nach meinem Urteil konnte Jesus, weil er sich von der Gottesherrschaft ganz und gar bestimmt wußte, ohne deshalb die zeitliche Differenz zwischen seiner Gegenwart und ihrer Zukunft zu überspielen, gar keine messianischen Titel brauchen. Jeder Hoheitstitel wäre für ihn gleichermaßen zuviel und zuwenig gewesen. Zuviel, weil das Reich Gottes, auf dessen wirksame Nähe Jesus jedermann ansprach, wirklich (noch) nicht greifbar war. Zuwenig, weil Jesus sich auf *Gott selbst* bezogen wußte, so daß selbst der kommende Menschensohn an die durch Jesus provozierten Entscheidungen gebunden sein sollte (Mark. 8, 38).

Man wird sich sogar fragen dürfen, ob nicht bis heute jeder Titel für Jesus zuviel und zuwenig, ja eher zuwenig als zuviel sagt und ob nicht vielmehr alle diese längst vor Jesu Geburt bekannten Hoheitstitel darauf angewiesen sind, um Jesu menschliche Armut und Niedrigkeit bereichert zu werden. Was der wahre Messias, Menschensohn, Gottessohn eigentlich ist, das muß sich an der Person entscheiden, die so genannt wird. Nicht zufällig ist der Titel des Messias für Jesus vom Titel zum Namen geworden: Jesus Christus.

Nicht zufällig ist es auch, daß das Bedürfnis, Jesus mit Hoheitstiteln auszuzeichnen und einen dieser Titel zum Bestandteil seines Namens werden zu lassen, erst *nach seinem Tod* entstanden ist. Jesus hat während seines irdischen Lebens keinen Glauben an sich selbst gefordert oder auch nur erwartet. Er hat Glauben an Gott in neuer Weise möglich gemacht. Er war ein *Verkündiger* der Gottesherrschaft. Zum *Verkündigten* ist er erst geworden, als er nicht mehr da war. Es ist eines der Grundprobleme der neueren Theologie, wie dieser qualitative Umschlag zu erklären ist.

3. Jesu Tod und der Glaube an Jesus

Warum wurde der Verkündiger zum Verkündigten? Die Antwort darauf gibt der Osterglaube. Der Glaube an die Auferweckung Jesu durch Gott bringt aber nichts anderes zum Ausdruck als Gottes Verhältnis zum Tod Jesu von Nazareth. Das zu verstehen dürfte die dringendste Aufgabe sein, die dem christlichen Glauben noch immer gestellt ist. Es geht dabei immerhin um nichts Geringeres als um die wahre (christliche) Bedeutung der Worte »Gott« und »Mensch«. Denn mit dem Glauben an Jesus Christus ist der christliche Glaube an die *Menschwerdung Gottes* entstanden. Die These, die ich vertrete, lautet also: der Glaube, daß Gott Mensch geworden ist, ist nicht nur erst *nach* Jesu Tod entstanden, sondern *im* Tode Jesu begründet und erst nachträglich mit Jesu Geburt in Verbindung gebracht worden. Das über Jesus selbst endgültig entscheidende göttliche Verhalten war das Verhalten zu einem Toten. Die Verkündigung der Auferweckung Jesu redet davon. Sie teilt mit, was im Tode Jesu geschehen ist. Sie teilt aber nicht nur mit, sondern gibt zugleich daran teil. Wer glaubt, hat Anteil an dem, was im Tode Jesu geschehen ist.

Es kommt demgemäß für das Verständnis des Todes Jesu alles darauf an, *von welcher Seite aus* man diesen Tod zu verstehen sucht: ob von Jesu gelebtem Leben her oder ob von Gottes Verhältnis zu diesem gelebten und also beendeten Leben her. Wie der Tod Jesu von der Seite seines gelebten Lebens her zu beurteilen ist, ist ein historisches Problem, bei dessen Lösung der Glaube an Jesus eher hinderlich ist, weil er Jesus bereits als Auferstandenen kennt und bei der Beurteilung des Lebens und Sterbens Jesu von dieser Kenntnis schlecht abstrahieren kann. Hingegen ist die Beurteilung des Todes Jesu aufgrund seiner Auferstehung nicht gut möglich, ohne bereits die Sprache des Glaubens (an Jesus Christus!) zu sprechen. Die Beurteilung des Todes Jesu in der Sprache des Glaubens von einst *heute zu verstehen* ist dann allerdings wieder eine historische Aufgabe, ohne deren Inangriffnahme gegenwärtige theologische Verantwortung nicht möglich wäre.

Über Jesu Tod läßt sich *von der Seite seines gelebten Lebens* her historisch etwa folgendes ausmachen: Jesus ist durch die römischen Behörden hingerichtet worden, wahrscheinlich am 14. oder 15. Nisan eines nicht genau datierbaren Jahres um 30 n. Chr. herum. Er starb am Kreuz einen nach römischer Rechtspraxis für Sklaven und Verbrecher vorgesehenen äußerst qualvollen Tod. Der Grund zur Hinrichtung ist nicht mehr genau zu ermitteln. Wahrscheinlich ist Jesus als politischer Unruhestifter denunziert worden. Allerdings dürften seine mit den römischen Behörden kooperierenden jüdischen Gegner an Verkündigung und Verhalten Jesu theologischen Anstoß genommen haben.

Daß Jesus sich als Messias ausgegeben habe und deshalb

verurteilt wurde, ist eine erst in der christlichen Gemeinde entstandene Behauptung, die schwerlich zutrifft. Zutreffend ist die Überlieferung, daß einer von denen, die ihr Leben mit Jesus geteilt hatten, ihn verraten hat. Über Jesu eigene Einstellung zu seinem Tod wissen wir so gut wie nichts. An die Auferstehung der Toten hat er wie viele seiner jüdischen Zeitgenossen geglaubt, ohne jedoch im Zusammenhang damit von seinem eigenen Tode oder im Zusammenhang seines eigenen Todes davon zu reden. Die Weissagungen des Leidens, Sterbens und Auferwecktwerdens Jesu sind reprojizierte Weissagungen. Auch die »Worte am Kreuz« sind bereits vom christlichen Verständnis seines Todes geprägt. Der am ehesten als Jesuswort in Frage kommende Gebetsruf »Mein Gott, mein Gott, warum hast du mich verlassen« (Mark. 15, 34; Matth. 27, 46) ist ein Psalmvers (Ps. 22, 2), der dem sterbenden Jesus später in den Mund gelegt sein könnte — in dem Wissen, daß derselbe Psalm in einem geradezu triumphalen Gottvertrauen endet. Auf jeden Fall ist Jesus schreiend gestorben. Es ist nicht auszuschließen, daß er voll Verzweiflung den Tod erlitt.

Diese Möglichkeit ist auch dann ernst zu nehmen, wenn Jesu gewaltsamer Tod eine sich aus seiner Verkündigung und seinem Verhalten nahelegende Konsequenz sein sollte, mit der er selber rechnen mußte. Als heroisch Sterbenden darf man sich den Gekreuzigten jedenfalls nicht vorstellen. Und von der Gelassenheit, ja Heiterkeit, mit der Sokrates den Verbrechertod gestorben ist, kann im Blick auf den historischen Jesus keine Rede sein. Daß seine Anhänger flohen, deutet darauf hin, wie wenig sie seine Exekution mit dem, was er wollte, in Einklang bringen konnten. Von den letzten Stunden des Sokrates wird im »Phaidon« von einem, der damals bei ihm war, berichtet, es habe eine »seltsame« Stimmung geherrscht: »bald lachten wir, bald weinten wir« (58 e. 59 a). Gethsemane kann man sich so nicht vorstellen: »meine Seele ist zu Tode betrübt« (Mark. 14, 34).

Der einzige Anknüpfungspunkt, den eine von der *anderen* Seite her ansetzende Theologie des Kreuzes für das Verständnis des Todes Jesu im Vorgang seines Sterbens hat, ist der, daß Jesu Werk gewaltsam abgebrochen wurde. Die Ansage der Nähe eines gnädigen, auf Menschlichkeit bedachten Gottes durch Jesu Wort und Tat schien an Jesus selbst ad absurdum geführt zu sein. Sein letzter Schrei mag der Verzweiflung über diese göttliche Absurdität entsprungen sein. —

Schon bald nach Jesu Tod aber wurde *Jesus selbst als Gottes Nähe,* als Gottes Sohn verkündigt. Der Glaube an Gott, den Jesus in neuer Weise ermöglicht hatte, galt nun ihm selbst. Daß Jesus nach seinem Tode nicht mehr nur Zeuge des Glaubens an Gott war, sondern wie Gott Adressat menschlichen Glaubens geworden war, das ist der uns historisch faßbare Tatbestand, den theologisch zu interpretieren Jesu Tod *von der anderen Seite* her zu verstehen bedeutet.

Ausschlaggebend für diese Interpretation ist der unbestreitbare qualitative Unterschied, der sich zwischen der Einstellung der Anhänger Jesu zu ihm vor und nach seinem Tod erkennen läßt. Der qualitative Unterschied ist sprachlich darin erkennbar, daß man Jesus nun mit Titeln schmückt, die alle eine unvergleichliche Beziehung zwischen diesem Menschen und Gott zum Ausdruck bringen sollen. »Christus« war derjenige von vielen Titeln, der sich am eindeutigsten durchgesetzt hat. Indem aber zwischen Jesus und Gott eine unvergleichliche Beziehung behauptet wird, ist zugleich von einer einmaligen Bedeutung Jesu für alle Menschen die Rede, so daß der Glaube an Jesus als den Christus über alle Grenzen missionarisch ausgebreitet werden mußte.

Fragen wir nun nach dem *Grund* des qualitativen Umschlages, der zum Glauben an Jesus führte, so wird man zunächst ein negatives Argument nennen müssen, das im Wesen des Glaubens selber begründet ist. Zum Wesen des Glaubens gehört offensichtlich *die Entzogenheit* dessen, an den man glaubt. Die Scholastik brachte das — im Anschluß an Heb. 11, 1 und 2. Kor. 5, 7 — mit dem freilich etwas problematischen Satz zum Ausdruck: »objectum fidei est res divina non visa«, der Gegenstand des Glaubens ist eine göttliche Sache, die man nicht sieht. Unter »Entzogenheit« wird dabei eine Weise des Daseins verstanden, in der Abwesenheit und Anwesenheit ineinander verschränkt sind, wie das ja zum Beispiel auch bei jeder Art von Hoffnung der Fall ist. Während aber die Hoffnung bestimmt ist von dem, was noch nicht da ist, ist der Glaube bestimmt von dem, was schon da war. Solange nun Jesus leibhaftig unter den Lebenden weilte, konnte er wohl Glauben an Gott gewähren, nicht aber Glauben an sich selber provozieren. Durch den Tod jedoch wurde Jesus den Lebenden als Lebender entzogen. Insofern war sein Tod die negative Bedingung der Möglichkeit dafür, daß an Jesus geglaubt werden konnte.

Man wird diese Bedeutung, die der als Entzug verstandene Tod Jesu für den Glauben an Jesus hat, deshalb nicht unterschätzen dürfen, weil der Tod hier geradezu die Brücke vom Osterglauben zum irdischen Leben Jesu schlägt. Indem der Tod die Person Jesu *entzieht, integriert* er das gelebte Leben Jesu zu einer unverwechselbaren Einheit, und zwar so, daß die Sache, um die es in diesem gelebten Leben ging, mit der entzogenen Person eins werden kann. Nur so ist der Glaube an Jesus verständlich als eine Beziehung zu einer unauswechselbaren Person. Was das bedeutet, kann man sich anhand der etwas abwegig erscheinenden, aber als Kontrolle doch sinnvollen Frage klarmachen, warum eigentlich an Jesus geglaubt wurde und nicht an Johannes den Täufer, warum Gott diesen Menschen von den Toten erweckte und nicht jenen (Ebeling).

Doch alle diese Überlegungen wären müßig, wenn es nicht Glauben an Jesus nach seinem Tode *gegeben* hätte. Dieses Faktum ist zwar *ohne* Jesu Leben und Tod nicht zu verstehen, es ist aber *aufgrund* des Lebens und Sterbens Jesu allein noch gar nicht zu verstehen. Der Tod Jesu entließ aus sich selbst noch keineswegs die Kraft, auf den Entzug der Person Jesu mit Glauben an diese Person zu antworten. Diese Fortsetzung der Jesus-Nachfolge mit anderen Mitteln verstand sich nicht von selbst. An die Stelle der Nachfolge war vielmehr die Flucht getreten.

Daß es nicht bei der Flucht der Jünger blieb, sondern zum Glauben an Jesus kam, erklärt dieser Glaube selbst damit, daß *Gott* an dem toten Jesus seine Herrlichkeit offenbart habe. Die nahe Gottesherrschaft, aus der der irdische Jesus lebte und nach der er sterbend schrie, erwies sich an dem toten Jesus als unmittelbar präsent. Das war das Widerfahrnis des Osterglaubens, daß man erfahren mußte: im Tode sind der Verkündiger und der Gegenstand seiner Verkündigung *identisch geworden,* so daß der Verkündiger nun selber zum Verkündigten werden konnte. Daß Gott sich mit dem toten Jesus *identifiziert* hat, ist der vom Glauben selber vorausgesetzte Grund des Glaubens an Jesus.

Es ist allerdings wichtig, sich klarzumachen, daß der Glaube an Jesus nicht neben den Glauben an Gott tritt — etwa gar als Konkurrenz —, sondern daß es im Glauben an Jesus um nichts anderes als um den Glauben an Gott geht. Ja im Glauben an Jesus als den Christus kommt der Glaube an Gott in seiner Wahrheit und Reinheit zum Austrag. Denn indem Gott sich mit einem toten Menschen identifizierte, hat er sich dem Glauben allererst als der *wahre Gott* definiert. Insofern ist im Tode Jesu, genauer im Verhalten Gottes zu diesem toten Menschen, der christliche Glaube an die Menschwerdung Gottes begründet. Das Ereignis dieses göttlichen Verhaltens allein kommt als diejenige *Notwendigkeit* in Frage, aufgrund derer der Tod Jesu für den Glauben an ihn entscheidend wurde.

Wenn wir Gottes Verhalten zu dem toten Jesus als ein Sich-Identifizieren mit diesem Toten zu verstehen haben, dann ist damit allerdings gesagt, daß Gottes Leben mit einem Toten eins geworden ist — eine höchst paradoxe Identität. Diese paradoxe Identität zwischen dem lebendigen Gott und dem toten Jesus bringt Gott selbst mit dem Tod in Berührung. Daß diese Berührung nicht tödlich für Gott endete, sondern Gott als den offenbarte, der das Nichtseiende ins Sein und Nichtmehrseiendes in neues Sein ruft, darf nicht als selbstverständlich genommen werden. Der Glaube an die Auferstehung Jesu von den Toten ist alles andere als selbstverständlich. Aus gutem Grund korrespondiert ihm der Dank.

4. Der Tod und Gott

Man kann an die Auferstehung Jesu nicht glauben, ohne
Gott zu danken. Dank ist die Antwort auf eine Gabe.
Korrespondiert dem Glauben an die Auferstehung Jesu
der Dank, dann ist damit der Überzeugung der Glaubenden Ausdruck gegeben, daß Gottes Identifikation mit
dem toten Jesus *ihnen zugute* kommt. Unmißverständ-
lich heißt es denn auch bei Paulus: »das alles um euret-
willen« (2. Kor. 4, 15). Und nicht weniger klar: »Gott
aber sei Dank, der uns den Sieg gibt durch unsern Herrn
Jesus Christus« (1. Kor. 15, 57). Der Satz ist bezogen
auf einen Sieg über den Tod, der zwar erst »zur Zeit der
letzten Posaune« (1. Kor. 15, 52) *unbestreitbare* Wirklichkeit werden soll, den Glaubenden aber doch schon
jetzt von Gott gegeben wird. Der Sieg über den Tod
muß also schon errungen sein.
Er wurde errungen, als Gott sich mit dem toten Jesus
identifizierte. Tod, so hatten wir es im Alten Testament
gelesen, bedeutet Verhältnislosigkeit. Der Tod als der
Sünde Sold, so machte es uns vor allem das Neue Testament klar, ist die Konsequenz des unheilvollen menschlichen Dranges in diese Verhältnislosigkeit. Dem unheilvollen Drang des Menschen in die tödliche Verhältnislosigkeit entspricht die den Menschen von Gott entfremdende Aggressivität des die Verhältnisse abbrechenden
Todes. Während nun aber im Alten Testament Gott
vom Tode unendlich entfernt und von der tödlichen Verhältnislosigkeit ganz und gar unberührt erschien, erträgt er im Tode Jesu die Berührung des Todes. Indem
Gott sich mit dem toten Jesus identifizierte, setzte er sich
der aggressiven Gottfremdheit des Todes wirklich aus,

setzte er die eigene Gottheit der Macht der Negation aus. Er tat es, um gerade so *für alle Menschen* dazusein.

Für jemanden dasein heißt: sich zu ihm verhalten. Wenn aber Gott auch im Tode nicht aufhört, sich zu uns zu verhalten, ja wenn er sich mit dem toten Jesus identifizierte, um sich durch den Gekreuzigten allen Menschen gnädig zu erweisen, dann erwächst mitten aus der Verhältnislosigkeit des Todes ein *neues Verhältnis* Gottes zum Menschen. Wohlgemerkt: das neue Verhältnis Gottes zum Menschen besteht darin, daß Gott die von ihm entfremdende Verhältnislosigkeit des Todes selber erträgt. Wo die Verhältnisse abbrechen und die Beziehungen enden, genau eben da setzt Gott sich selber ein. Und in diesem selbstlosen Selbsteinsatz Gottes *offenbart* Gott sein eigenes Wesen. Indem Gott sich mit dem toten Menschen Jesus von Nazareth zugunsten aller Menschen identifiziert, offenbart er sich als ein den endlichen Menschen unendlich *liebendes* Wesen. Denn wo alles verhältnislos geworden ist, schafft nur die Liebe neue Verhältnisse. Wo alle Beziehungen abgebrochen sind, schafft nur die Liebe neue Beziehungen.

Liebe ist also das Motiv nicht nur des göttlichen Handelns, sondern auch des göttlichen Seins. Liebend bewegt Gott sich selbst. Liebend bewegt Gott sich selber dazu, dem Toten, dem Negativen, dem Verfluchten so zu Hilfe zu kommen, daß er Tod, Negation und Fluch nicht scheut. Liebend partizipiert Gott am Schmerz des Todes, um Leben und Tod in ein neues Verhältnis zueinander zu bringen, das Auferstehung von den Toten genannt zu werden verdient. Man darf den altkirchlichen Satz von der *Menschwerdung Gottes* nicht nachsprechen, ohne zugleich auch dieses auszusprechen. Daß Gott

Mensch wurde, impliziert, daß Gott das Elend des Todes mit dem Menschen teilt. Ohne diese Implikation ist der Satz von der Menschwerdung nichts als eine emphatische Phrase. Recht verstanden jedoch definiert er das christliche Verständnis des Wortes »Gott«. Was Aristoteles dem Sein Gottes ausdrücklich verbot, nämlich sich durch Liebe zu anderem von anderem bewegen zu lassen (und nun gar zum Leiden bewegen zu lassen), und was das Alte Testament wie selbstverständlich von Gott ausschloß, nämlich um die Toten bekümmert zu sein (und nun gar mit einem Toten identisch zu werden), das *muß* nach christlichem Verständnis behauptet werden, wenn wirklich und wahrhaftig von *Gott* die Rede sein soll.

Es dürfte nun deutlich werden, warum man von der Auferstehung Jesu nicht angemessen reden kann, ohne den Tod Jesu als *Ereignis des Heils* zu verkündigen. Das aus der Verhältnislosigkeit des Todes hervorgehende neue Verhältnis von Gott und Mensch schafft nämlich einen *neuen Menschen*. Aber dieser neue Mensch ist nicht aus dem Nichts, das am Anfang war, geschaffen, sondern aus der aus Selbstzerstörung und Schuld resultierenden Nichtigkeit und Vernichtung, die sich der Mensch erwirkt, indem er sein Leben verwirkt. Einen neuen Menschen schaffen — das kann auf keinen Fall heißen, ihn »schlank und leicht wie aus dem Nichts« entspringen zu lassen. Einen neuen Menschen schaffen — das kann nur heißen, die aus Selbstzerstörung und Schuld resultierende Nichtigkeit und Vernichtung des Menschen zu überwinden.

Wo rechtmäßig von Auferstehung die Rede sein soll, muß deshalb von der Überwindung des Fluchtodes die Rede, muß von dem Ereignis der göttlichen Liebe die

Rede sein, das nur als ein Kampf auf Leben und Tod recht zu begreifen ist. Denn indem Gott den Tod *erleidet*, treffen das Wesen Gottes und das Wesen des Todes, treffen Liebe und Zerstörung so aufeinander, daß das Wesen des einen am Wesen des anderen das eigene Wesen in Frage stellt.

Der Osterglaube versteht diese Begegnung als einen Kampf, der bereits mit Jesu Leben anhebt, um sich dann in seinem Tod zu entscheiden. Man muß die Tatsache, daß Jesus in seinem irdischen Leben den Armen, Elenden und gesellschaftlich Verachteten — zu denen durchaus auch die reichen Sünder zählen! — Gottes Gegenwart brachte, daß er Kranke heilte und Dämonen austrieb, bereits als den Anfang dieser Begegnung verstehen. Denn in Armut und Elend, in gesellschaftlicher Verachtung und Isolierung, in Krankheit und Dämonie vollzieht sich ja bereits jener unheilvolle Drang in die Verhältnislosigkeit, jener Sog in den Tod. Schon im Leben Jesu sehen wir deshalb Gott auf dem Weg in den Tod.

Die Ostergeschichten erzählen den Ausgang dieser Begegnung. Sie erzählen von einem *Sieg*. Aber bezeichnenderweise erzählen sie von diesem Sieg nicht so, als habe Gott den Tod durchschritten wie einen Triumphbogen. Der Tod wird nicht dadurch besiegt, daß man ihn hinter sich bringt und läßt. Gerade die heidnischen Göttermythen von den im Kreislauf des Jahres sterbenden und wiederkehrenden und wieder sterbenden Göttern zeigen, daß den Tod hinter sich zu lassen nur bedeuten kann: ihn aufs neue vor sich zu haben. Der Tod bleibt der alte. Es ereignet sich die ewige Wiederkehr des Gleichen. Demgegenüber bleibt der von den Toten auferstandene Herr der Gekreuzigte. Er trägt als seine Herrschaftszeichen für immer die Wundmale an seinem Leibe.

Daraus dürfen wir folgern, daß der verkündigte und geglaubte Sieg Gottes über den Tod eben darin besteht, daß Gott die Verneinung des Todes an sich erträgt. Manche Tiere gehen zugrunde, wenn sie ihr ganzes Gift von sich geben. Der aus der Sünde resultierende Tod gleicht einem solchen Tier. Die triumphierende Frage des Glaubens »Tod, wo ist dein Stachel?« (1. Kor. 15, 55) kann wohl nicht anders als so beantwortet werden: der Tod hat seinen »Stachel«, das Instrument seiner Herrschaft, im Leben Gottes zurücklassen müssen.

Paulus fügt zu jener aus dem Propheten Hosea (13, 14) zitierten siegesgewissen Frage sofort hinzu: »der Stachel des Todes aber ist die Sünde, die Kraft der Sünde aber das Gesetz« (V. 56). Die Hinzufügung soll klarmachen, inwiefern dem Tod seine vernichtende Macht genommen worden ist. Denn Gottes Identifikation mit dem toten Jesus besteht nach Paulus eben darin, daß Gott den, der zur Sünde keine Beziehung hatte, *uns zugute* zur Sünde gemacht hat: »Er hat den, der von keiner Sünde wußte, für uns zur Sünde gemacht« (2. Kor. 5, 21). In der Terminologie des im Altertum üblichen Sklaven- und Gefangenenfreikaufs: »Christus hat uns losgekauft vom Fluch des Gesetzes, indem er uns zugute zum Fluch geworden ist; denn es steht geschrieben: › Verflucht ist jeder, der am Holz hängt‹« (Gal. 3, 13). Sünde ist Aggression gegen Gott. Deshalb führte sie in den Tod, war sie dessen »Stachel«, mit dem er herrschte, wie das Gesetz es befahl. Im *Erleiden* dieses Stachels, im *Ertragen* dieser gegen ihn gerichteten Negation hat Gott dem Tode die

Macht genommen und sich damit allererst als Gott offenbart: Gott ist der den Menschen Liebende und deshalb für den Menschen Leidende. Der Mensch kann endlich leiden. Gott aber ist nicht etwa der, der gar nicht, sondern der, der *unendlich* leiden kann und um seiner *Liebe* willen unendlich leidet. *So* ist er Sieger über den Tod. *So* ist die Herrschaft des Todes in Gottes Gewalt.

Wir sind mit den zuletzt angestellten Überlegungen in das Zentrum des christlichen Glaubens vorgedrungen. Es läßt sich vielfältig ausdrücken. Aber kein Versuch, über das Zentrum des christlichen Glaubens zu reden — oder sagen wir besser: *aus* dem Zentrum des christlichen Glaubens zu reden —, darf davon abstrahieren, daß der Tod Jesu Christi uns nur deshalb etwas angeht, weil er Gott angeht. Jeder Versuch, Gott aus dem Elend dieses Todes in Gedanken, Dogmen und Liturgien herauszuhalten, geht am Wesen des christlichen Glaubens vorbei.

Ein traditionelles theologisches Mißverständnis des Todes Jesu Christi muß hier ausdrücklich ausgeschlossen werden. Es ist die — allerdings an Formulierungen des Neuen Testaments anknüpfende — Meinung, als sei die Tötung Jesu ein dem Zorn Gottes dargebrachtes menschliches Opfer; dargebracht, um den zürnenden Gott gnädig zu stimmen: es »rast der See und will sein Opfer haben«. Nein! Wenn im Zusammenhang des Todes Jesu von einem Opfer die Rede sein soll, dann von dem Opfer göttlicher Jenseitigkeit, göttlicher Unberührtheit, göttlicher Absolutheit, kurz: vom Opfer schlechthinniger Gegensätzlichkeit Gottes gegenüber seinem sündigen Geschöpf. Denn Identität Gottes mit dem toten Jesus bedeutet dies alles. Nicht Gott hat *sich* versöhnen lassen

durch Jesu Tod, sondern er hat die in ihre Gottfremdheit verstrickte *Welt* mit sich versöhnt (2. Kor. 5, 18 f).
Gott ist der Versöhner, die Welt die versöhnte, der
Mensch der auf die vollbrachte Versöhnung anzuspre-
chende (2. Kor. 5, 20).

Den Menschen auf die vollbrachte Versöhnung anspre-
chen heißt allerdings ihm die Augen dafür öffnen, daß
menschliche Gottlosigkeit und Schuld an Gott selbst ihre
Spuren hinterläßt. Der sich auf den Fluchtod des Sünders einlassende Gott ist eben der sich auf die Gottlosigkeit und Schuld des Menschen einlassende Gott. Er widerspricht ihr, indem er sie auf sich nimmt. Das ist gemeint, wenn von Identifikation mit dem toten Jesus die
Rede ist. Luther hat es so gesagt: Christus ist nun — am
Kreuz — »von allen der größte Räuber, Mörder, Ehe-
brecher, Dieb, Tempelschänder, Gotteslästerer usw.; ein
größerer war niemals in der Welt«. Das Zentrum des
christlichen Glaubens ist aber mit dieser Aussage nur
dann getroffen, wenn der Glaubende sich darüber *freuen*
kann, daß er an Gott selbst die Spuren der eigenen Gottlosigkeit wahrnehmen muß. Daß die an Gott selbst
wahrnehmbaren Spuren menschlicher Gottlosigkeit Zeichen der *Versöhnung* sind, das ist die in der Sprache der
Rechtfertigungslehre am profiliertesten formulierte Bedeutung des Todes Jesu Christi.

VI. DER TOD DES TODES

Der Tod als Verewigung gelebten Lebens

1. Die zwei Dimensionen des biblischen Todesverständnisses

Das biblische Verständnis des Todes ist zweidimensional. Es enthält *einerseits* eine *Feststellung* über das Wesen des Todes: der Tod ist das Ereignis der die Lebensverhältnisse total abbrechenden *Verhältnislosigkeit*. Als dieses Ereignis der Verhältnislosigkeit ist er das Ende einer Lebensgeschichte, das Ende der Geschichte einer Seele und ihres Leibes, das Ende also der ganzen Person und eben darin Ausdruck der Endlichkeit des menschlichen Lebens. Der Mensch ist, wenn er gestorben ist, nur noch das, was er war. Er wird von sich aus hinfort nichts mehr werden und insofern auch nicht mehr sein. Denn Gegenwart ohne Zukunft gibt es nicht, sie wäre keine Gegenwart. Der Gestorbene »ist« nur noch in der Weise des Gewesenseins. So freilich gehört jeder Tote in die Geschichte der Welt.

Diese anthropologische Definition des Todes als Eintritt von totaler Verhältnislosigkeit kann sich sehen lassen im Haus der Wissenschaften. Sie bietet sowohl den Naturwissenschaften als auch den Geschichtswissenschaften zumindest eine Diskussionsgrundlage, die den Vorteil hat, angeben zu können, was tödlich ist. Tödlich ist jede Tendenz zur Verhältnislosigkeit sowohl im Bereich der Natur wie auch im sozialen oder geschichtlich-politischen Bereich. Es bietet sich übrigens von dieser Definition des Todes her zugleich die Möglichkeit an, »Natur« und »Geschichte« als eine Einheit zu begreifen.

Soweit die Dimension der das Wesen des Todes definierenden Feststellung. Die *andere* Dimension des biblischen Todesverständnisses ist die eines *Angebotes*. Angeboten wird die Rede vom *Sieg* des am Tod des Menschen partizipierenden Gottes *über den Tod*. An diesem Angebot scheiden sich Glaube und Unglaube. Der Glaube akzeptiert dieses Angebot. Er entwirft sich damit als *Hoffnung,* und er geht damit eine *Verpflichtung* ein.

Hoffnung und Verpflichtung sind begründet im Tod Jesu Christi. Wo der Glaubende vom Tod bedroht wird, kann er den Sieger über den Tod nicht ignorieren. Vom Tod bedroht ist das Leben des Menschen von Anfang an, denn es führt in den Tod. »Mitten wir im Leben sind mit dem Tod umfangen.« Doch Luther war der Meinung, der Christ müsse den Satz umkehren: »Mitten im Leben (sind wir) im Tod. Kehr's um: mitten im Tod sind wir im Leben. So spricht, so glaubt der Christ.« Nicht, daß unser irdisches Leben nun als ständiges Sterben diskreditiert werden sollte. Aber das ist an Luthers Umkehrung treffend, daß ein Christ sagt und glaubt: überall, wo der Tod mich bedroht, gilt der Sieg des Lebens. Das berechtigt und verpflichtet den Glaubenden, nun umgekehrt den Tod zu *bedrohen*.

In eindrücklicher Weise zeigt diese Bedrohung das Streitgespräch des »Ackermanns aus Böhmen« mit dem Tod, dessen Dichter mit für das Mittelalter unerhörten Worten die Legitimität des Todes als eines Amtmanns Gottes in Frage zu stellen wagt.

Der Osterglaube geht sogar noch weiter und redet von einer *Verspottung* des Todes. Wenn das kein metaphysischer Leichtsinn sein soll, dann muß klar werden, inwiefern man in einer vom keineswegs friedlichen, sondern unerträglich gewaltsamen Tod noch so sichtbar beherrschten Welt den Tod überhaupt bedrohen und verspotten kann. Was heißt das: den Tod bedrohen und verspotten?

Der Grund dazu ist der Tod Jesu Christi als eine im Namen Gottes vollzogene Entmächtigung des Todes. »Durch seinen Tod wurde der Tod getötet«, sagt Luther gern. Der Tod Christi wird als *»Tod des Todes«* verstanden. Das ist eine gelungene Metapher, deren Drastik Luther durch mythologisch anmutende Wendungen sogar noch steigern kann. Bekannt ist das Osterlied: »Die Schrift hat verkündet das, wie ein Tod den andern fraß. Ein Spott aus dem Tod ist worden.« Man wird diese drastische Redeweise gelten lassen, solange man es nicht besser sagen kann. Und das dürfte schwerfallen.

Allerdings muß man angeben können, was der »Tod des Todes« für das *Leben* des Christen bedeutet. Wir wollen das im Folgenden versuchen, indem wir die christologische Erörterung der Todesproblematik für die allgemeine Frage nach dem Tod auswerten. Dabei wird zuerst nach der Bedeutung des Lebensendes zu fragen sein, das uns trotz des »Todes des Todes« unweigerlich bevorsteht. Hier kommt die Hoffnung des Glaubens zur Sprache: die »Auferstehung von den Toten«. Im Anschluß daran erst dürfte die Frage, was es heiße, den Tod zu bedrohen und zu verspotten, beantwortbar sein.

2. Tod und Zeit — die Hoffnung des Glaubens

Daß der Mensch *Zeit* hat, ist eine anthropologische Einsicht in das Wesen des Menschen als eines Geschöpfes Gottes. Der Mensch ist nur solange da, als er Zeit hat. Und er ist darin Mensch, daß er Zeit hat. Daß der Mensch nicht nur »in der Zeit« da ist, daß vielmehr die Zeit, in der er da ist, zugleich seine Lebenszeit ist, konstituiert das Wesen des Menschen. Der Mensch ist ein *zeitliches* Wesen.

Zeit haben bedeutet auf jeden Fall: Gegenwart haben. Aber Gegenwart ruht niemals in sich selber. Die Gegenwart kommt immer schon her aus vergangenem Geschehen, das in hohem Maße darüber entschieden hat, wie die Gegenwart werden mußte. Jede Gegenwart ist geworden. Und in jeder Gegenwart wird immer schon eine neue Gegenwart, die wir jetzt noch Zukunft nennen. Zeit haben bedeutet insofern auch: Herkunft und Zukunft haben. Gegenwart ohne Herkunft und Zukunft wäre ein geschichtsloser Raum, ein zeitloses Da, ein »stehendes Jetzt« (nunc stans), ein ewiger Augenblick und mithin ein Selbstwiderspruch.

Zeit haben bedeutet also genauerhin: eine *Geschichte* haben, und zwar nicht nur eine vergangene Geschichte hinter sich, sondern erst recht eine zukünftige Geschichte vor sich. In der Gegenwart aber hält der Mensch seine Geschichte zusammen, indem er Vergangenes verarbeitet und Künftiges entwirft. Dabei *kommuniziert* der Mensch aber mit anderen Menschen, die in derselben Zeit ihre eigene Lebenszeit haben mit einer eigenen Vergangenheit und einer eigenen Zukunft. Ohne Kommunikation hat der Mensch keine Geschichte; also keine Zeit.

Nur aufgrund geschichtlicher Kommunikation hat der Mensch eine eigene Geschichte, denn nur innerhalb einer Gemeinschaft kann der Mensch überhaupt als Individuum dasein. Weil der Mensch aber eine eigene Geschichte haben soll, ist ihm Zeit gegeben. Die Zeit ist kein Selbstzweck; sie dient dem Menschen zur Erfüllung seiner Geschichte. Auf den Begriff gebracht hieße das: die Zeit ist die formale ontologische Struktur der Geschichtlichkeit des Seins.

Was bedeutet das theologisch? Die Lebenszeit eines Menschen kommt nur dann zu ihrer Erfüllung, wird nur dann eigentliche Geschichte, wenn sie verstanden wird als Moment der Geschichte Gottes mit allen Menschen. Jeder Mensch nimmt teil an dieser Geschichte, um derentwillen die Welt geschaffen wurde. Und als Moment dieser Geschichte hat jede menschliche Lebenszeit ihre einmalige Wichtigkeit. Sie kann durch nichts ersetzt werden. Jeder Mensch mag in bestimmten von ihm übernommenen Rollen ersetzbar sein. Sein Dagewesensein jedoch bleibt unauswechselbar, selbst dann, wenn er seine Tage dahingebracht hat wie ein Geschwätz. Er war er selbst.

Die Wichtigkeit der Einmaligkeit jeder menschlichen Lebenszeit darf nun jedoch nicht dahin mißverstanden werden, als müsse unsere Lebenszeit deshalb unendlich wichtig und deshalb selber unendlich sein. Daß sie ein Moment der Geschichte Gottes mit allen Menschen ist, macht sie zwar auch für den unendlichen Gott einmalig wichtig. Aber aus der einmaligen Wichtigkeit unserer Lebenszeit für den unendlichen Gott darf nicht die unendliche Wichtigkeit und schon gar nicht die Unendlichkeit menschlicher Lebenszeit gefolgert werden.

Als *ein Moment* der Geschichte Gottes mit allen Menschen ist sie vielmehr *endlich,* hat sie einen Anfang und ein Ende. Allerdings ist zeitliches Dasein über seinen Anfang und sein Ende hinaus auf Geschichte bezogen. Insofern die menschliche Lebenszeit durch Anfang und Ende begrenzt ist, hat sie eine Herkunft, die vor ihrem Anfang war, und eine Zukunft, die nach ihrem Ende sein wird. Eine Herkunft wohlgemerkt, an der sie, obwohl in ihr über sie schon Entscheidendes entschieden wurde, damals noch nicht selber teilhaben konnte. Und eine Zukunft, an der sie, obwohl sie über diese irgendwie mitentschieden hat, dann nicht mehr selber teilhaben wird. Durch diese *irdische* Herkunft und diese *irdische* Zukunft jenseits ihrer selbst ist jeder menschlichen Lebenszeit ihr individueller geschichtlicher Stellenwert gegeben. Innerhalb dieser Grenzen hat der Mensch seine eigenen Möglichkeiten, von denen einige verwirklicht zu haben dann sein Leben gewesen sein wird.

Dieses Leben vollzieht sich aber in Kommunikation mit der Geschichte Gottes. So hat es als irdisches Leben auch eine *ewige* Herkunft und eine *ewige* Zukunft. Das Leben ist von Gott geschaffen und das Leben geht ein in die Auferstehung von den Toten.

Man darf sich jedoch von der christlichen Hoffnung auf Auferstehung nicht den Blick für die zeitliche Begrenztheit des menschlichen Lebens verstellen lassen. So kann diese Hoffnung, auch wenn sie immer wieder dahingehend mißverstanden worden ist, nicht gemeint sein: als ginge es um die Erwartung einer Aufhebung der zeitlichen Begrenztheit menschlichen Lebens. Dagegen spricht schon die allgemeine anthropologische Erwägung, daß die Aufhebung der Grenzen menschlicher Lebenszeit die

Aufhebung der Individualität des Menschenlebens implizierte. Ein Mensch, der vor seiner Geburt existierte — die absurde Erwägung anzustellen —, wäre eben ein anderer. Dasselbe gilt für das utopische Postulat einer Kontinuität des menschlichen Lebens über den Tod hinaus. »Ich« wäre dann zwar unendlich, aber »ich« wäre nicht ich. Hoffnung auf Auferstehung wird schon aus diesem allgemeinen Grund etwas anderes sein müssen als Hoffnung auf unendliche Fortsetzung.

Man wird aber auch mißtrauisch gegenüber allen Auffassungen sein müssen, die »das ewige Leben« als eine Art himmlischen Ausgleich für irdischen Verzicht interpretieren und in diesem Sinn eine Aufhebung der Begrenztheit menschlicher Lebenszeit postulieren. »Auch ich war in Arkadien geboren, / Doch Tränen gab der kurze Lenz mir nur. / ... / All meine Freuden hab ich dir geschlachtet, / Jetzt werf ich mich vor deinen Richterthron. / ... / Vergelterin, ich fordre meinen Lohn.« Das ist die Haltung auch christlicher Frömmigkeit häufig genug gewesen. Doch der Schluß des Gedichtes gibt zu denken und dürfte so unchristlich nicht sein: »Was man von der Minute ausgeschlagen, / Gibt keine Ewigkeit zurück.«

Entscheidend jedenfalls ist, daß die christliche Hoffnung auf Auferstehung überhaupt *nicht egoistisch* konzipiert ist. »Auf daß *Gott* sei alles in allem« — das ist nach Paulus das eigentliche Ziel der Auferstehung der Toten (1. Kor. 15, 28). Hoffnung auf *Gott* ist also die Hoffnung auf Auferstehung in ihrem Kern. Hoffnung auf Erlösung ist diese Hoffnung nur in dem Maße, in dem sie sich auf den erlösenden Gott richtet. Und Erlösung kann dann doch nichts anderes heißen, als daß *dieses ge-*

lebte Leben erlöst wird, nicht aber, daß *aus* diesem Leben erlöst wird. Erlösung wäre also Rettung des gelebten Lebens durch Gott, wäre Teilhabe des irdischen, begrenzten Lebens an Gottes Leben, Teilhabe befristeter Lebenszeit an Gottes Ewigkeit, Teilhabe schuldig gewordener Existenz an Gottes Ehre. Teilhabe an Gottes Ehre bedeutet ehrenvolle Rettung schuldigen Menschenlebens. Das endliche Leben wird als endliches *verewigt.* Aber eben nicht durch unendliche Verlängerung: eine Unsterblichkeit der Seele gibt es nicht. Sondern durch Teilhabe an Gottes eigenem Leben. In seinem Leben wird das unsrige *geborgen* sein. In diesem Sinn ist die kürzeste Form der Auferstehungshoffnung der Satz »Gott ist mein Jenseits«. Er wird's wohlmachen. Und zwar das, was wir waren. Unsere *Person* wird dann unsere *offenbare Geschichte* sein.

Dieses Verständnis von Auferstehung ist begründet in den oben vorgetragenen Ausführungen über Tod und Auferstehung Jesu Christi. Entscheidend war uns ja dabei der paulinische Grundsatz gewesen, daß der Auferstandene als Gekreuzigter verkündigt wird. Es wird also nicht einfach von einem Toten gesagt: er lebt wieder, er lebt weiter. Die Kreuzigung ist nicht rückgängig gemacht worden. Und entscheidend war uns die Einsicht gewesen, daß der Auferstandene die *Wahrheit* des Todes und des im Tode integrierten Lebens Jesu *offenbart.*

Entsprechend wird man die Auferstehung *aller* Menschen aufzufassen haben. Sie gilt dem gelebten Leben, das dann gerettet und geehrt sein wird. Wir werden dann Gott nicht fehlen, wie der Verstorbene jetzt den Hinterbliebenen fehlt. Alle werden so, wie sie waren, in Gott versammelt sein. In Gott, der selber das *Leben* ist. Um eine museale Versammlung kann es sich also nicht handeln. Gerettete Vergangenheit ist mehr als Vergangenheit. Gerettete Vergangenheit ist Vergangenheit in der Gegenwart Gottes, ist von Gott selbst vergegenwärtigte und von Gott — hier ist das Wort angebracht — verherrlichte Vergangenheit. Und Vergangenheit in der Gegenwart des lebendigen Gottes kann auf keinen Fall tote Vergangenheit sein. Sie wird vielmehr *sprechende* Geschichte sein, von Gott vor Gott zum Sprechen gebrachte Geschichte. Dann werden wir *öffentlich* sein, was wir anderen und uns selbst verborgen gewesen sind. Wir werden dann entdecken, was und wer wir in Wahrheit waren. Erkenne dich selbst — das wird dann möglich sein und wirklich werden. Und wer auf Erden behauptet hat, sich selber wirklich erkannt zu haben und also wirklich zu kennen, der wird sich dann vor sich selber schämen. (Eine Ecke der Beschämung für Philosophen — schlechte, versteht sich — ist vorgesehen.) Wir werden dann so erkennen, wie wir jetzt schon von Gott erkannt worden sind (1. Kor. 13, 12). Wie wir jetzt von Gott erkannt worden sind, so sind wir. Und so werden wir dann gewesen sein und als Gewesene ewig sein. Auferstehung von den Toten heißt Versammlung, Verewigung und Offenbarung gelebten Lebens.

Ich fasse das Gesagte mit den Worten eines Lehrers der Kirche zusammen: »Der Mensch *als solcher* hat also *kein* Jenseits, und er bedarf auch keines solchen; denn *Gott* ist sein Jenseits. Daß er, Gott, als des Menschen Schöpfer, Bundesgenosse, Richter und Retter sein schon in seinem Leben und endgültig, ausschließlich und total in seinem Tode treues Gegenüber war, ist und sein wird, das ist des Menschen Jenseits. Er, der Mensch als solcher aber ist diesseitig und also endend und sterbend und wird also einmal nur noch gewesen sein, wie er einmal noch nicht war. Daß er auch als dieser Gewesene nicht Nichts, sondern des ewigen Lebens Gottes teilhaftig sein werde, das ist die ihm in diesem Gegenüber mit Gott gegebene Verheißung, das ist seine Hoffnung und Zuversicht. Ihr Inhalt ist also nicht seine Befreiung von seiner Diesseitigkeit, von seinem Enden und Sterben, sondern *positiv:* die ihm von dem ewigen Gott her bevorstehende Verherrlichung gerade seines von Natur und von rechtswegen diesseitigen, endenden und sterbenden Seins. Nicht dem sieht und geht er entgegen, daß dieses sein Sein in seiner Zeit irgendeinmal vergessen oder ausgelöscht zurückbleiben und dann gewissermaßen ersetzt sein werde durch ein ihm folgendes jenseitiges, unendliches, unsterbliches Sein nach dieser Zeit, sondern *positiv:* daß *eben dieses sein Sein in seiner Zeit* und also mit seinem Anfang und Ende vor den Augen des gnädigen Gottes und so auch vor seinen eigenen und vor aller Anderen Augen — in seiner verdienten Schande, aber auch in seiner unverdienten Ehre offenbar werde und so von Gott her und in Gott ewiges Leben sein möchte. Er hofft nicht auf eine Erlösung *aus* der Diesseitigkeit, Endlichkeit und Sterblichkeit seiner Existenz, sondern *positiv:* auf die Offenbarung ihrer in Jesus Christus schon vollendeten Erlösung: der Erlösung gerade seines diesseitigen endlichen und sterblichen Wesens.«

3. Tod und Gleichheit —
eine gesellschaftspolitische Konsequenz

Der Hoffnung auf Auferstehung entspringt die Verpflichtung zur »Verspottung des Todes«. In den darauf
vorbereitenden Zusammenhang gehört allerdings noch
eine Erkenntnis, die sich gleicherweise rechtverstandener
Hoffnung auf Auferstehung verdankt. Es geht um die
Beziehung zwischen dem Tod und der Gleichheit aller
Menschen.

Daß *alle* Menschen sterben müssen, hat die Menschheit
erst lernen müssen. Noch weniger selbstverständlich war
die damit gegebene *Aufhebung aller Unterschiede,* die
das menschliche Leben bestimmen. Daß der Tod alle
gleichmacht, mußte ebenfalls erst gelernt werden. Soziale Unterschiede waren lange Zeit und sind weithin
noch immer nicht nur für den Vollzug des Lebens, sondern auch für den Versuch, den Tod zu bewältigen, entscheidend.

Das erklärt sich zunächst aus der Tatsache, daß der Tod
als Ende eines Menschenlebens den Abgang des Inha-
bers einer sozialen Rolle bedeutet, die innerhalb einer
menschlichen Gesellschaft mehr oder aber weniger Relevanz hat und dementsprechend diese Gesellschaft mehr
oder aber weniger bewegt. Die Beunruhigung einer
Gruppe durch den Tod einer im Leben dieser Gruppe
dominierenden Person ist noch heute sehr unterschieden
von der Beunruhigung durch den Tod etwa eines neu-
geborenen Kindes oder eines Menschen, der eine gesellschaftlich unbedeutendere Rolle spielt. Der Wert der
Funktion eines Menschen im Leben einer Gemeinschaft
erhält sich über das individuelle Leben hinaus und

kommt in seiner Bedeutung für die Gemeinschaft gerade durch das Ereignis des Todes noch einmal pointiert zum Ausdruck. Das ist verständlich und innerhalb bestimmter Grenzen sowohl unvermeidbar als auch unerläßlich. Der Tod zwingt zur Verabschiedung von einem Menschen, der eben ein ganz bestimmtes Leben gelebt und insofern eine ganz bestimmte Rolle innerhalb der Gesellschaft gespielt hat. Entsprechend wird auch die Verabschiedung selbst jeweils verschieden sein. Doch über das Moment der Verabschiedung hinaus wurden den Toten nicht nur im kollektiven Gedächtnis, sondern auch in der ein »Fortleben« der Toten postulierenden kollektiven Phantasie sehr unterschiedliche Rollen zugedacht. Der Tod war mitnichten von vornherein der Gleichmacher. Selbst die Art des Todes (Selbstmord!) oder auch der Bestattung (Verbrennung!) konnte als Differenzierungsprinzip für das »Leben nach dem Tode« fungieren.

Diesen Auffassungen vom Tod hat der christliche Glaube widersprochen. Mit einer aus dem Gottesverhältnis des Menschen resultierenden eindeutigen Strenge wurde der Tod als Ende aller das Leben bestimmenden Rollenunterschiede verstanden. Die Totentanzdarstellungen des späten Mittelalters bringen mit großer Unerbittlichkeit den gleichmachenden Grundzug des Todes zur Anschauung: Im Basler Totentanz zum Beispiel antwortet der vom Tod zum Tanz nach seiner »Pfeife Ton« gerufene *Kaiser:* »Ich konnte das Reich gar wohl mehren / Mit Streiten, Fechten, Unrecht-Wehren: / Nun hat der Tod überwunden mich, / Daß ich bin keinem Kaiser gl(e)ich.«

Der *Krüppel,* den der Tod noch einmal als »der Welt

ganz unwert sehr« identifiziert, begrüßt den Tod als Freund: »Ein armer Krüppel hier auf Erd' / Zu einem Freund ist keinem wert: / Der Tod aber will sein Freund s(e)in, / Er nimmt ihn mit dem Reichen hin.«

Und der im Mittelalter von allen anderen Menschen wie wohl kein anderer sonst unterschiedene *Jude* wird vom Tod ausdrücklich den anderen gleichgemacht: »Mit mir will ich dich jetzt nun ha(be)n, / Du bist mir wie ein andrer Mann.«

Papst, Kaiser, Krüppel, Jude, *jedermann* wird vom Tode gleichermaßen getroffen, und eben dadurch wird jeder jedem gleich. Diese Auffassung des Todes hatte aber, insofern sie eine letztinstanzliche Relativierung der sozialen Unterschiede darstellt, zwangsläufig Rückwirkungen auf das gesellschaftliche Leben. Man hat mit Recht davon gesprochen, daß das in den Totentänzen dargestellte Todesverständnis eine Lektion gesellschaftlicher Gleichheit, eine Tendenz zur Demokratie darstellt. Die Zusammenhänge mit den sozialen Umwälzungen jener Zeit sind denn auch nicht zu verkennen.

Die Entdeckung des egalitären Grundzuges des Todes hängt auf das engste zusammen mit dem Glauben an die im Tode Jesu Christi vollbrachte Rechtfertigung des Sünders, und zwar in doppelter Hinsicht.

Der neutestamentliche Grundsatz über den Tod, den Paulus im Zusammenhang seiner Lehre von der Rechtfertigung zur Geltung bringt, lautete ja: »Der Tod ist der Sünde Sold« (Röm. 6, 23). Im Tod und als Tod zahlt sich die Sünde aus. Von der Sünde aber gilt, daß sich *jeder* Mensch mit ihr einließ, daß *alle* Menschen gesündigt haben (Röm. 3, 23). Also herrscht auch der Tod über alle Menschen. Im christlichen Dogma von der Erbsünde, wie auch immer es zu verstehen ist, ist ein alle Menschen unterschiedslos *negativ* qualifizierender und insofern gleichmachender Anspruch da, dessen Auswirkung auf die Geschichte der abendländischen Gesellschaft gar nicht hoch genug veranschlagt werden kann.

Wichtiger noch als diese negative ist allerdings die damit unmittelbar zusammenhängende *positive* Motivation der »demokratischen« Tendenz im christlichen Todesverständnis. Diese positive Motivation ist in dem paulinischen Satz ausgesprochen, daß der Mensch aus Glauben gerecht wird, allein aus Glauben — wie Luther treffend übersetzt —, also nicht durch Werke (Röm. 3, 28), die zu tun er allerdings durch das Gesetz verpflichtet ist. Daß Gott den Menschen nicht aufgrund der menschlichen Leistungen gerecht spricht, besagt selbstverständlich auch dies, daß der Mensch nicht aufgrund seiner sozialen Funktion, nicht aufgrund der Rolle, die er in einer menschlichen Gesellschaft spielt, vor Gott gerecht ist. Vor Gott gerecht sein heißt: zum Leben und zur Freude am Leben berechtigt sein. Zum Leben und zur Freude am Leben berechtigt wird also niemand durch das, was ihm innerhalb einer Sozietät gerade Bedeutung gibt. Zum Leben und zur Freude am Leben berechtigt wird vielmehr *jeder* Mensch allein dadurch, daß er eine von allem, was er tut und läßt, unterschiedene Person ist, für die Jesus Christus ebenso gestorben ist wie für jede andere von ihren Werken unterschiedene Person.

Der rechtfertigende Gott kennt keinen Unterschied der Personen, sondern er macht einen Unterschied zwischen jeder Person und ihren Werken, Rollen, Funktionen etc. Diese penetrante Unterscheidung zwischen dem, was wir sind, und dem, was wir und andere aus uns machen, hat die Augen dafür geöffnet, daß vor Gott alle Menschen gleich sind. Der Glaube war von daher in der Lage, die gleichmachende Funktion des Todes allererst zu entdecken — und zwar ohne dabei in den Zynismus zu verfallen, der das allen Menschen bevorstehende Ende nun wiederum mit dem Verenden des Viehs noch gleichgestellt wissen will, so daß es motiviert erscheint, wenn der am Ende doch das gleiche Schicksal wie das liebe Vieh erleidende Mensch zu jeder Untat bereit ist, die ihm das vorangehende Leben lustreicher macht (vgl. Pred. 3, 19f mit 9, 3f). Die Behauptung, daß dem menschlichen Leben und dem tierischen Leben in gleicher Weise ein Ende bestimmt sei, kann im menschlichen Tod gerade nicht jenen demokratischen Grundzug entdecken, der gesellschaftlich fruchtbar gemacht werden will, sondern nur eine letzte Sinnlosigkeit, die alle Anstrengungen eines menschlichen Lebens als verfehlt erscheinen läßt: am Ende kommt doch alles auf dasselbe heraus, egal, ob man Großes oder gar nichts vollbracht hat, egal sogar, ob man ein Mensch oder ein Tier gewesen ist. Das ist Zynismus, der mit der Vergänglichkeit des Lebens nicht fertig zu werden vermag, weil er das Vergehen nicht ertragen kann.

Die Lektion gesellschaftlicher Gleichheit, die das christliche Todesverständnis zu erteilen vermochte, drohte allerdings dadurch sozusagen suspendiert zu werden, daß die von ihren Werken unterschiedene Person des Glaubenden einem dem irdischen Leben unendlich überlegenen *ewigen* Leben zugehörig geglaubt wurde, mithin die Personengleichheit erst vom Tode ab, nicht aber für das Leben bis zum Tode Bedeutung zu haben schien. Eine solche Suspendierung des Gleichheitsmotivs war möglich, solange der Tod des Menschen platonisch als Trennung der Seele vom Leib, also nur als leiblicher Tod verstanden wurde, der der menschlichen Seele eine Fortdauer durchaus nicht verwehrte. Wenn demgegenüber jedoch der Tod radikal als das Ende der menschlichen Lebenszeit begriffen wird, dann muß die Lektion gesellschaftlicher Gleichheit, die sein rechtes Verständnis zu erteilen vermag, in das irdische Leben zurückwirken und gesellschaftspolitische Bedeutung gewinnen. Letzten Respekt können soziale Unterschiede dann auf keinen Fall mehr beanspruchen. Egalité wird zu einem Postulat, das zu verwirklichen jedenfalls mehr bedeutet, als jedermanns Kopf unter dem Gesichtspunkt der Guillotine zu egalisieren.

4. Tod und Angst — die Verpflichtung des Glaubens

Wenn zum menschlichen Dasein das Ende der Lebenszeit gehört, wenn Auferstehung von den Toten nicht unendliche Lebensverlängerung, sondern Versammlung und Verewigung gelebten Lebens bedeutet, dann muß die versöhnende Kraft des Todes Jesu Christi dem *Leben* zwischen Anfang und Ende der ihm gegebenen Zeit zugute kommen. Auch Luthers bekannter Satz aus dem Kleinen Katechismus, daß Jesus Christus »mich verlorenen und verdammten Menschen erlöst hat, erworben und gewonnen von allen Sünden, vom Tod und von der Gewalt des Teufels nicht mit Gold oder Silber, sondern mit seinem heiligen, teuren Blut und mit seinem unschuldigen Leiden und Sterben, auf daß ich sein eigen sei und in seinem Reich unter ihm lebe und ihm diene in ewiger Gerechtigkeit, Unschuld und Seligkeit« läßt daran keinen Zweifel. Doch was heißt dann »erlöst vom Tode«?

Erlösung vom Tode ist Befreiung zu einem neuen Gottesverhältnis und zu einem neuen Selbstverhältnis. Und das heißt Beseitigung der von uns selbst heraufbeschworenen Drohung über unserem Lebensende, heißt Beseitigung des Fluches der das Leben verwirkenden Taten. Der Tod Jesu Christi hat uns von dem Gesetz befreit, das uns im Leben und im Sterben der Nichtigkeit unseres eigenen Tuns und Lassens ausliefert (Röm. 8, 2). Erlösung vom Tode heißt deshalb Befreiung zum Leben *und* zum Sterben. Wer nicht leben kann, kann auch nicht sterben. Und wer nicht sterben kann, kann auch nicht leben. Das ist ein Zirkel, der in seiner Negativität den — wie Luther sich ausdrückte — »verlorenen und verdammten Menschen« kennzeichnet: er kann weder leben noch sterben. Weder leben noch sterben zu können ist die Hölle. Ihrer Vernichtung galt der Tod Jesu Christi. Leben und sterben zu können ist das Geschenk, das er den Seinen macht. Denn »leben wir, so leben wir dem Herrn; sterben wir, so sterben wir dem Herrn; darum ob wir leben oder sterben — wir gehören dem Herrn« (Röm. 14, 8).

Der Zirkel zwischen Leben-Können und Sterben-Können gilt also auch in seiner Positivität. Sterben-Können impliziert Leben-Können und umgekehrt. Es war verhängnisvoll, als man den christlichen Glauben so mißverstanden hat, daß er sich ausschließlich auf das Sterben-Können konzentrierte. Sein ganzes Leben als Einübung in das Sterben hinzubringen ist ein Skandal. Es war heidnischer Einfluß, als man auch in der Christen-

heit eine ars moriendi, eine »Kunst zu sterben« entwik-
kelte. Der Glaubende ist kein Sterbenskünstler. Er kann
es schon deshalb nicht sein, weil das eigene Ich bei solchen Künsten unerträglich überschätzt wird. Ars moriendi ist die raffinierteste Art, sich selber vor sich selber
sozusagen im Modus der Aufhebung noch interessant zu
machen. Nein: sterben können, ohne leben zu können,
das geht nicht.

Sterben zu können setzt also eine Bejahung des Lebens
voraus. Zur Bejahung des Lebens gehört dann aber der
Mut, vor der Notwendigkeit des Sterbens die Augen
nicht zu verschließen. Es wäre eine Abstraktion, das Leben vor jeder Berührung mit dem Tod rein bewahren
zu wollen. Ein Leben, das sich vor dem Tode scheut und
auf keinen Fall ein Ende dulden, sondern um jeden Preis
bleiben will, ist genauso abstrakt wie ein Leben, das sich
nach dem Tode sehnt und nur zu vergehen und ein Ende
zu machen bedacht ist. Ein abstraktes Leben ist in sich
selber unwahr. Zur Konkretion wahren Lebens gehört
die Konfrontation mit dem Tod.

Wir wollen uns das klarmachen am Phänomen der *Todesangst*. Fast jeder Mensch hat Angst vor dem Tode.
Man darf Todesangst nicht mit Feigheit verwechseln.
Das geht ohnehin am Wesen der Angst vorbei. Angst ist
von Hause aus etwas ganz anderes als Feigheit. Angst
ist vielmehr eine Schutzfunktion des Lebens. Und es gehört zu den Bausteinen der Menschlichkeit des Menschen, Angst haben zu können. Er schützt sich, indem er
sich ängstigt. In der Angst ist der Mensch um die Zukunft seiner Gegenwart bekümmert. Angst ist also auf
das engste mit der Angewiesenheit des Menschen auf
Hoffnung verbunden. Mit Recht hat man gesagt, keine

Angst und keine Hoffnung zu haben heiße in gleicher Weise, unmenschlich zu sein (Jens).

Das kann sich selbstverständlich nur auf die sich von selbst einstellende Angst beziehen. Künstlich erzeugte Angst ist unmenschlich, genauer: die künstliche Erzeugung von Angst ist unmenschlich. Angst wird hier pervertiert zum Instrument der Unterwerfung. Künstlich erzeugte Angst muß man bekämpfen. Man tut es am besten, indem man ihre Erzeuger bekämpft.

Die sich als Schutzfunktion des Lebens von selber einstellende Angst hingegen läßt sich nicht bekämpfen. Man muß auf sie eingehen, um sie zu verwinden. Das gilt auch von der Angst vor dem Tode. Sie ist menschlich, zutiefst menschlich. In ihr meldet sich in elementarer Weise das menschliche Recht auf Leben. Daß die Passionsgeschichte auch Jesus von der Todesangst nicht ausnimmt, sollte uns davor bewahren, von den Christen zu behaupten, ihr Glaube schließe die Angst vor dem Tode a priori aus. Der Glaube schließt die Angst vor dem Tode so wenig aus, wie er sie künstlich erzeugt. Aber er geht auf sie ein.

Dabei kann es nicht das Ziel sein, die Angst vor dem Tod zu beschwichtigen. Das würde ohnehin nur dazu führen, daß an die Stelle einer gesunden Angst vor dem Tode eine mehr oder weniger neurotische Angst vor der Todesangst tritt. Die Verdrängung der Notwendigkeit, sterben zu müssen, wäre die Folge.

Demgegenüber ist es angemessen, auf die Angst vor dem Tod mit *Sorge für das Leben* einzugehen. Angst vor dem Tod ist Angst vor Verhältnislosigkeit. Sorge für das Leben ist Sorge für Verhältnisse, in denen man ehrenvoll leben kann. Der Glaube geht auf die Angst vor dem

Tod ein, indem er Sorge trägt für das Gottesverhältnis des Menschen. Man kann aber nicht gut für das Verhältnis von Gott und Mensch Sorge tragen, ohne zugleich für das Verhältnis von Mensch und Mensch zu sorgen. Auch wenn die letzte Stunde geschlagen hat und sich die Hoffnung eines Menschen nur noch auf den richten kann, der allein sich eines gelebten Lebens annehmen kann, auch dann ist das Verhältnis zu den Mitmenschen, von denen man scheidet, Bestandteil des Gottesverhältnisses. Im Frieden sterben kann man nur dann, wenn man auch in Frieden weiter leben könnte.

Auf die Angst vor dem Tode eingehen heißt also allemal auf das Leben des Geängstigten eingehen. Wenn nun Angst eine Schutzfunktion des Lebens ist, dann ist nach der *Bedrohung* zu fragen, gegen die sich die Todesangst richtet. Und da ist eine doppelte Bedrohung festzustellen. Wir haben es einerseits mit allen jenen Bedrohungen zu tun, die unserem Leben ein vorzeitiges Ende zu machen drohen. Und wir haben es andererseits mit einer Bedrohung zu tun, die man eine Selbstbedrohung des menschlichen Ich nennen könnte.

Die *Selbstbedrohung des menschlichen Ich* vollzieht sich in jenen Aktivitäten und Passivitäten menschlichen Verhaltens, die wir als Drang in die Verhältnislosigkeit — und das heißt als Sünde — gekennzeichnet haben. Das Ich bedroht sich selbst, insofern es sich selbst als Wert absolut setzt und sich so zum Maßstab aller Werte macht, zum Beispiel indem es das zu lebende Leben als Privatbesitz verbraucht. Biblisch formuliert: das Ich bedroht sich selber, indem es ausschließlich sich selber sucht. Wer in allem sich selber sucht, muß sich verlieren. Wer überall seine Identität sucht, läuft Gefahr, weder sich selbst noch überhaupt etwas zu finden. Wer sich selber nicht loslassen kann, kommt nicht dazu, sich auf die Wirklichkeit mit ihren zeitlichen Ereignissen und geschichtlichen Begebenheiten wirklich einzulassen, geschweige denn auf andere Menschen einzugehen. Sich selber verwirklichend, verfehlt der Mensch die Möglichkeiten, die das Dasein erst menschlich machen. Er bleibt auf sich selber fixiert.

Ein solchermaßen auf sich selbst fixiertes Leben kann die dem Menschen gegebene Lebenszeit in ihrer ureigensten Funktion nur verfehlen. Zeit, so hatten wir gesagt, ist die Form der Geschichte Gottes mit uns. Lebenszeit war uns demgemäß kein Selbstzweck, sondern so etwas wie ein Raum geschichtlicher Begegnung. Ein auf sich selbst fixiertes und so eben in die Verhältnislosigkeit drängendes Leben verfehlt die Zeit als Raum geschichtlicher Begegnung. Die Lebenszeit erscheint dann nur noch als Ablauf. Sie verrinnt. Und das Ende der Lebenszeit ist dann die Konfrontation des auf sich selbst fixierten Ich mit dem Nichts. Davor graut ihm — mit Recht. Der Tod bringt die Nichtigkeit eines solchen Lebens an den Tag. Das steigert die Angst. *Potenzierte Angst* vor dem Tode ist die sich von selbst einstellende Reaktion, mit der das Ich auf diese selbstverursachte Bedrohung seiner selbst reagiert.

Eine solche potenzierte Angst vor dem Tode ist ein Symptom, ein Alarmzeichen. Es muß sich von selbst einstellen. Unverantwortlich wäre es, wollte man solche Todesangst erzeugen. Christliche Prediger und Seelsorger sind in dieser Hinsicht von schlimmsten Verfehlungen nicht freizusprechen. Künstlich erzeugte Todesangst ist alles andere als eine Schutzfunktion des Lebens. Sie ist ein Verbrechen am Leben. Todesangst zu erzeugen, um dann Jesus Christus als den Erretter vom Tode bezeugen zu können, ist ein theologisch verwerfliches Geschäft mit dem Tod. Die Verkündigung Jesu Christi bedarf dieser Folie nicht. Aber sie erlaubt es, faktisch vorhandene Todesangst als solche anzusprechen, zu analysieren und die in ihr sich anzeigende Bedrohung des Lebens zu beheben.

Für die Selbstbedrohung des Lebens, die als Tendenz in jedem Menschen schlummert, heißt die vom christlichen Glauben anzubietende Behebung *Versöhnung*. Der mit Gott versöhnte Mensch braucht sich nicht in allem selber zu suchen. Er, der sich ständig finden wollte, ist nun gefunden. Allerdings nicht von sich selber, sondern von Gott. Deshalb braucht er sich nicht zu fürchten, wenn er im Tode sich selber verliert, denn er geht nicht verloren. Er erwartet im Tode zwar sein Ende. Aber mit diesem Ende erhofft er, von Gott selbst begrenzt zu werden. Es ist ein Unterschied, ob der Mensch im Tode vom Nichts begrenzt wird oder aber von Gott. Und es ist erst recht ein Unterschied, ob der Mensch im Tode vom Nichts begrenzt wird oder aber von einem *gnädigen* Gott. In der Hoffnung auf eine gnädige Begrenzung seines Lebens durch Gott vermag der Mensch sogar Hölle, Tod und Teufel zu verspotten. Hölle und Teufel sind Ausdrücke für den Triumph der Verhältnislosigkeit, die den Sünder im Tode bedroht. Doch eben diese Drohung kann den Glaubenden nicht mehr schrecken. Gegen die Anklage, die sein gelebtes Leben am Ende als nichtig zu erweisen droht, setzt er seine Hoffnung. Und die richtet sich nicht auf sein Leben mit der Würde seiner guten und der Bürde seiner verdorbenen Werke, sondern allein auf

Gott. Mit dieser Hoffnung vollzieht sich auch in seinem Leben eine Entmächtigung des Todes, die wir eine *geistliche Verspottung des Todes* nennen können. Luther hat so den Teufel verspottet: »... So geschieht dem Teufel ein großer Reinfall, daß er leeres Stroh zu dreschen findet, nämlich so: ... Was fichtst du, Teufel? Suchst du gute Werke und meine eigene Heiligkeit zu tadeln vor Gott? Ätsch, hab' ich doch keine! Meine Macht ist nicht meine Macht; der HERR ist aber meine Macht... Ich weiß weder von Sünden noch von Heiligkeit in mir. Nichts, nichts kenne ich denn Gottes Macht in mir.« —

Eine ganz andere Bedrohung, auf die das Leben mit Todesangst reagiert, ist die *Bedrohung durch einen vorzeitigen oder unnatürlichen Tod*. Wir erinnern uns: das durch den Tod Jesu Christi vom Fluchtod befreite menschliche Leben hat ein natürliches Ende, das mit dem Ende der Lebenszeit eintritt. Diesen und keinen anderen Tod zu sterben, hat der Mensch ein Recht. Es gehört zu den Pflichten des christlichen Glaubens, diesem Recht Geltung zu verschaffen. Zwischen der Verkündigung des Todes Jesu Christi und der *Fürsorge für einen natürlichen Tod* besteht ein unmittelbarer Zusammenhang.

Das bedeutet allerdings eine sehr bestimmte Arbeit an den unser Leben regulierenden Weltverhältnissen. Der natürliche Tod muß erarbeitet werden — politisch, sozial, medizinisch. Darin stimmen wir mit Werner Fuchs überein, insofern er den Zielbegriff des natürlichen Todes, mit dem er die Erklärung des Todes aus übernatürlichen Ursachen abweist, polemisch gegen die unnatürlichen Ursachen eines gewaltsamen Todes zur Geltung bringt. Der Begriff des natürlichen Todes impliziert das Postulat einer den Tod auf das Ende durch Altersschwäche einschränkenden Medizin und das Postulat einer in gleiche Richtung zielenden Politik. Insofern ist dieser Begriff »mit gesellschaftskritischer Potenz ausgestattet. Er verlangt eine gesellschaftliche Verfassung, in der ein solcher natürlicher Tod die Regel ist oder mindestens zur Regel werden kann.« Wo man den Tod in diesem Sinne als natürlich denkt, »erhebt sich das Postulat, den natürlichen Tod allererst zu ermöglichen«.

Den natürlichen Tod für jeden Menschen möglich zu machen, das heißt: den Tod *weltlich* verspotten und bedrohen. Den Tod verspotten heißt auf jeden Fall: das Leben nicht verspotten. Den Tod bedroht man, indem man das Leben zu bedrohen verwehrt. Hier ist der Glaube sozial gegen den Tod engagiert, gerade weil er Gott und nur Gott als die Begrenzung des menschlichen Lebens kennt. Die Hoffnung auf den im Tod uns von allen Seiten bergend umgebenden Gott befreit von der egoistischen Sorge um das eigene Ende und läßt an deren Stelle die Fürsorge für das Leben anderer treten. Jeder Mensch hat seine Lebenszeit, damit er in seiner Zeit seine Geschichte haben kann. Diese Lebenszeit zu befristen ist Gottes und nur Gottes Sache. Der Glaube ist verpflichtet, gegen alle menschlichen Versuche, die Befristung menschlicher Lebenszeit zur eigenen Sache zu machen, öffentlich zu protestieren. Kein Mensch, keine Institution, keine Justiz hat das Recht, die zur Endlichkeit des Menschen gehörende Lebenszeit zu befristen. Der Christ hat die *Pflicht,* jeder Verfügung von Tod Taten entgegenzusetzen. Verfügung von Tod ist illegitim, und zwar in jedem Bereich menschlichen Seins. Wenn Gott den Tod auf sich genommen hat, um ihn für immer an sich zu binden, dann darf der Tod kein Rechtsmittel mehr sein, dann ist jede »Todesstrafe« ein crimen laesae maiestatis, eine Majestätsbeleidigung gegen den gekreuzigten Gott.

Entsprechendes gilt erst recht für den politischen Kalkül mit dem Tod. Jeder Krieg ist ein politischer Kalkül mit dem Tod anderer Menschen. Die Tötungshemmung des Soldaten wird methodisch ausgeschaltet und wieder eingeschaltet. Wenn er aber auf eigene Faust weitertötet, weil eine methodisch ausgeschaltete Tötungshemmung sich nicht immer einfach wieder einschalten läßt, dann empört sich die Welt. Diese Empörung kommt zu spät. Sie hätte sich gegen die Absurdität zu richten, daß ausgerechnet die Geschichte, um derentwillen wir Zeit haben, dazu mißbraucht wird, die Lebenszeit vieler Menschen unnatürlich zu beenden. Den Tod verspotten — das ist das genaue Gegenteil zu dieser Strategie des Tötens um angeblich höherer geschichtlicher Ziele willen. Den Tod verspotten — das ist zu verwirklichen in einer Strategie zugunsten eines *Lebens mit natürlichem Ende.*

Eine solche Strategie darf selbstverständlich nicht erst der konkreten Gefahr des Ablebens gelten, sondern muß bereits der *tödlichen Tendenz* in die Verhältnislosigkeit entgegenwirken, wo und wie auch immer sie auftritt. Gesellschaftspolitische Anstrengungen auf medizinischem und psychohygienischem Gebiet sind dafür in sehr viel stärkerem Maße notwendig als bisher.

Es muß durch eine solche Strategie nicht nur das Faktum des Lebens garantiert werden, sondern gleichermaßen die Entfaltung der *Lebensmöglichkeiten.* Leben als bloßes Dasein ist noch nicht Leben im Vollsinn des Wortes. Überspitzt, aber nicht falsch ausgedrückt: »Nicht das Leben als solches ist wichtig, sondern wichtig ist einzig und allein die Entfaltung der Lebensmöglichkeiten« (Jores). Lebenserhaltung allein wäre Sarkasmus, wenn man die mit jeder Lebenszeit jedem Lebewesen gegebenen Möglichkeiten zur Verkümmerung zwänge. Gerade dem alten Menschen, der von sich aus nur noch wenige Möglichkeiten hat, müssen Möglichkeiten von anderen bereitet werden, so daß er sich in seinem Alter des Lebens sehr wohl noch *freuen* kann, bis er »in schönem Alter« stirbt.

Daß es bei der Verspottung des Todes um die Entfaltung der Lebensmöglichkeiten geht, hat seine Relevanz auch für die Gestaltung der Existenzbedingungen in einer *konfliktgeladenen* Welt. Eine gewaltsame Verhinderung aller Konflikte im Interesse einer reibungslos funktionierenden Gesellschaft würde den Menschen gerade der Möglichkeit berauben, seine ihm gegebenen Möglichkeiten auch nur angemessen wahrzunehmen. Die gesellschaftliche Bestimmung des menschlichen Lebens läßt die Gegenwart gleichermaßen Ort der Kommunikation und des Konfliktes sein. Mit jeder gelingenden — also keineswegs nur bei der mißlingenden — Kommunikation sind immer auch fruchtbare — also keineswegs nur frustrierende — Konflikte verbunden, die auszutragen zur Entfaltung der dem menschlichen Leben eigensten Möglichkeiten gehört. Zu ihnen gehört auch der Konflikt zwischen Glaube und Vernunft. Dabei ist gerade der von der Versöhnung mit Gott herkommende Glaube ein leidenschaftlicher Gegner der gewaltsamen Verhinderung von Konflikten. Vollendete Konfliktlosigkeit ist ein Kriterium des Toten, die Tendenz dahin das Kriterium der Diktatur und Tyrannei.

Die Möglichkeit, Konflikte auszutragen, hingegen kommt nicht zuletzt dem *Verhältnis zum Tod* zugute. Das Verhältnis zum Tod ist nicht konfliktfrei, sondern geradezu konfliktgeladen. Der Glaube ermutigt dazu, diese Konflikte auszutragen, die alle allemal Lebenskonflikte sind. Nur im Austragen der das Verhältnis zum Tod bestimmenden Lebenskonflikte kann die Angst vor dem Tod ihr Ziel erreichen, das Leben davor zu schützen, daß es vorzeitig zu Ende und daß es ewig verloren geht. –

Das Wesen des Todes ist Verhältnislosigkeit. Der tödlichen Tendenz nach Verhältnislosigkeit wehrt man verantwortungsvoll am besten noch immer dadurch, daß man neue Verhältnisse schafft; solche Verhältnisse, in denen verständlich und verifizierbar wird, daß ein endliches Leben gerade in seiner Endlichkeit seine Würde hat — dem Tode zum Spott und Gott zur Ehre. Man kann lebend gegen den Tod nicht genug tun, weil man sterbend gegen den Tod gar nichts machen kann. Genau darauf aber muß der Tod reduziert werden: auf jene Grenze, die kein Mensch setzen darf, weil kein Mensch sie aufheben kann. Tod soll sein und muß werden, was Jesus Christus aus ihm gemacht hat: die Begrenzung des Menschen allein durch Gott, der da, wo wir schlechthin ohnmächtig sind, seine Macht nicht mißbraucht. Wo wir nichts machen können, ist er für uns da. Er führt es herrlich hinaus.

ANMERKUNGEN

1.1

Die biblischen Beispiele stehen
1. Mos. 25,8; 1. Sam. 31,4.2;
Matth. 27,5; 1. Mos. 5, 24; Luk.
2, 28 ff.
Zum „Pensionierungstod" vgl.
Arthur Jores, Der Tod des Menschen in psychologischer Sicht,
in: Der leidende Mensch, Darmstadt 1965.

1.2

Das Zitat von *Edward Young*
(1774) zitiert nach *Josef Pieper*,
Tod und Unsterblichkeit, Mün-
chen 1968, S. 29. Vgl. die Bemer-
kungen auf S. 83, wo auch das
Freud-Zitat steht:
Sigmund Freud, Zeitgemäßes
über Krieg und Tod, Gesammel-
te Werke Bd. 10, London 1946,
S. 341.
In *Sophokles'* Antigone siehe
V. 360 ff. Dazu der Satz Heid-
eggers:
Martin Heidegger, Einführung
in die Metaphysik, Tübingen
1953, S. 121.
Max Scheler, Tod und Fortle-
ben, Schriften aus dem Nachlaß
Bd. 1, Bern 1957², S. 30.
Sören Kierkegaard, Über den
Begriff der Ironie mit ständiger
Rücksicht auf Sokrates, Gesam-
melte Werke 31. Abt., Düssel-
dorf/Köln 1961, S. 275.
Das *Augustin*-Zitat findet sich
in der Enarratio in Psalmum
XXXVIII 19.

1.3

Ludwig Wittgenstein, Tractatus
logico-philosophicus, Schriften
Bd. 1, Frankfurt 1960, S. 81
Nr. 6.4311.
M. Scheler, a. a. O., S. 22.
Das *Epikur*-Zitat, das *J. Pieper*
a. a. O. S. 41 mit Recht ein So-
phisma nennt, steht im Brief des
Epikur an Menoikeus.
Zum Tod als juristischer Tatsa-
che vgl. *M. Scheler*, a. a. O., S. 33.

1.4

Paul Landsberg, Die Erfahrung
des Todes, Luzern 1937, S. 5 f.
Zum Ganzen vgl. *Jacques Cho-
ron*, Der Tod im abendländi-
schen Denken, Stuttgart 1967.
Zitiert wird aus S. 16. — Zum
„Beweis" der Sterblichkeit vgl.
Ernst Cassirer, Philosophie der
symbolischen Formen, 2. Teil:
Das mythische Denken, Darm-
stadt 1964⁴, S. 50.
Die *Scheler*-Zitate stehen a.a.O.,
S. 16 und 20.
Augustin, Confessiones IV 4.

1.5a

Alkmaion: der griechische Text
findet sich bei *Hermann Diels/
Walther Kranz*, Die Fragmente
der Vorsokratiker Bd. 1, Zürich
1966, S. 215 24 B 2.
Rudolf Nissen, Leben und Tod,
eine medizinisch-naturwissen-
schaftliche und ärztliche Betrachtung, in: Leben + Tod, Basel
o. J., S. 31.
Insgesamt ist heranzuziehen der
Sammelband *Was ist der Tod?*,
München 1969. Daraus ist zitiert
Hans Schaefer, Der natürliche

Tod, S. 18 und 14, *Wilhelm Doerr*, Vom Sterben, S. 62 f.

I.5b
Zitate aus dem Sammelband *Was ist der Tod?*
W. Doerr, S. 63,
H. Schaefer, S. 20 f.,
Hans Kuhlendahl, Zwischen Leben und Tod, S. 89 und 92 f.

I.5c
Zitate aus *Adolf Faller*, Biologisches von Sterben und Tod, in: Anima 1956, S. 260 ff.

I.6
Für Näheres vgl. *Gerhard Ebeling*, Gott und Wort, Tübingen 1966. Ferner: *Eberhard Jüngel*, Freiheitsrechte und Gerechtigkeit, Evangelische Theologie 1968, S. 486—495 und Die Freiheit der Theologie, Theologische Studien 88, Zürich 1967.

II.1
Johann Gottlieb Fichte, Grundlage des Naturrechts nach Prinzipien der Wissenschaftslehre, § 3, Cor. 1.
P. Landsberg, a. a. O. (s. I. 4), S. 30.

II.2
Alois Hahn, Einstellungen zum Tod und ihre soziale Bedingtheit, Eine soziologische Untersuchung, Stuttgart 1968. Daraus wird zitiert S. 16, 26 und 68.
Bernhard Groethuysen, Die Entdeckung der bürgerlichen Welt- und Lebensanschauung in Frankreich Bd. 1, Halle 1927, S. 95.
A. Faller, a. a. O. (s. I. 5c),

S. 260. *Christian von Ferber*, Soziologische Aspekte des Todes, in: Zeitschrift für Evangelische Ethik 1963, S. 341.
Gustav Bally, Das Todesproblem in der wissenschaftlich-technischen Gesellschaft, in: Wege zum Menschen 1966, S. 130 und 133.
Karl Rahner, Experiment Mensch, in: Schriften zur Theologie Bd. 8, Einsiedeln 1967, S. 281.
Zum Tod in den USA vgl. *Jessica Mitford*, Der Tod als Geschäft, Berlin 1966 (Ullstein-Taschenbuch Nr. 573).
Werner Fuchs, Todesbilder in der modernen Gesellschaft, Frankfurt 1969. Zitat aus S. 228.

II.3
Auguste Comte's Feststellung wird zitiert nach *M. Scheler*, a. a. O. (s. I. 2), S. 15. Das Umfrageergebnis stammt aus einer Emnid-Umfrage, veröffentlicht von *Werner Harenberg*, Was glauben die Deutschen?, München/Mainz 1968.
M. Scheler, a. a. O., S. 15.
David Friedrich Strauß, Der alte und der neue Glaube. Ein Bekenntnis. Bonn 1903[15].
A. Hahn, a. a. O., S. 110 Anm. 8.

III.2
Die Zitate zum Protreptikos (Frg. 60 R) stehen bei *Werner Jaeger*, Aristoteles, Berlin 1955[2], S. 101 f.
Zur Interpretation des Phaidon vgl. *R. Guardini*, Der Tod des Sokrates, Reinbek 1956 (rde 27).

Paul Friedländer, Platon Bd. 3, Berlin 1960², S. 30 und 35.
Karl Rahner, Zur Theologie des Todes, Quaestiones Disputatae 2, Freiburg usw. 1958, S. 18.
Cicero, Tusculanae Disputationes, I 74.

III.3

Zum Staunen als Anfang des Philosophierens vgl. Aristoteles, Metaphysik A 982 b 12 f.
Zur historischen Anmerkung: Gotthold Ephraim Lessing, Wie die Alten den Tod gebildet, Eine Untersuchung, 1769,
Homer, Odyssee, 11. Gesang 488—491.
Georg Friedrich Wilhelm Hegel, Phänomenologie des Geistes, Philosophische Bibliothek Bd. 114, Leipzig 1949⁵, S. 28—30 (Vorrede).

III.4

Vgl. zum Ganzen:
Unsterblichkeit, Norbert Luyten, Adolf Portmann, Karl Jaspers, Karl Barth, Basel 1966,
Oscar Cullmann, Unsterblichkeit der Seele oder Auferstehung der Toten, Stuttgart 1962.
Walter Bernet, Gebet, Themen der Theologie Bd. 6, Stuttgart 1970, S. 87 f.

IV.1

Zum Ganzen vgl. J. Pieper, a. a. O. (s. I. 2); da (S. 14) auch die Bemerkung von
Arthur Schopenhauer, Werke Insel-Verlag Bd. 2, Leipzig, S. 1240.

IV.2a

Gerd Schunack, Das hermeneutische Problem des Todes, Tübingen 1967, S. 50 ff.

IV.2c

Zum Ganzen vgl.:
Ludwig Köhler, Der hebräische Mensch, Tübingen 1953, Zitate aus S. 33, 35, 97 f. und 100,
Gottfried Quell, Die Auffassung des Todes in Israel, Darmstadt 1967 (= Leipzig 1925), Zitate aus S. 6 und 22,
Victor Maag, Tod und Jenseits nach dem Alten Testament, in: Schweizerische Theologische Umschau 1964, S. 17—37, Zitate aus S. 22 f.,
Martin Noth, Die Welt des Alten Testaments, Berlin 1962⁴, Zitat aus S. 159,
Ludwig Wächter, Der Tod im Alten Testament, Berlin 1967.
Martin Luther, Vorlesung über 1. Mos. 26, 24 (WA 43, 481, 32—35).

IV. 3

Vgl. Ulrich Wilckens, Auferstehung, Themen der Theologie Bd. 4, Stuttgart 1970.

IV.3a

Zu IV. 3 und V. vgl. Ernst Fuchs, Zur Frage nach dem historischen Jesus, Tübingen 1965².
K. Rahner, a. a. O. (s. III. 2), S. 45. Ladislaus Boros, Mysterium Mortis, Olten 1967⁷, S. 42. Vgl. auch K. Rahner, a. a. O., S. 37 f. Zum „zweiten Tod" vgl.:
L. Wächter, a. a. O., S. 42,
Wilhelm Brandt, Das Schicksal

der Seele nach dem Tode, Darmstadt 1967 (= Jahrbücher für protestantische Theologie 1892), S. 46,
Augustin, Gottesstaat, Buch 13, 2. 11 (zitiert wird nach der Übersetzung von Alfred Schröder, Bibliothek der Kirchenväter, München 1914, S. 265).

V.1
Zum ganzen Kapitel vgl. *Das Kreuz Jesu Christi als Grund des Heils*, Schriftenreihe des Theologischen Ausschusses der EKU, hrsg. von Fritz Viering, Gütersloh 1967.
Martin Kähler, Der sogenannte historische Jesus und der geschichtliche, biblische Christus, München 1969 (Theologische Bücherei Bd. 2), S. 60.

V.2
Herbert Braun, Jesus, Themen der Theologie Bd. 1, Stuttgart 1969, S. 167.

V.3
Der scholastische Grundsatz ist zitiert nach *Thomas von Aquin*, Summa Theologica III, 7, 3, c.
Gerhard Ebeling, Was heißt: Ich glaube an Jesus Christus? In: Was heißt: Ich glaube an Jesus Christus? Zweites Reichenau-Gespräch der Evangelischen Landessynode Württemberg, Stuttgart 1968, S. 38—77.

V.4
Martin Luther, Vorlesung über Gal. 3,13 (WA 40/1, 433, 26—28).

VI.1
Martin Luther, Predigt am Tage Mariä Heimsuchung (WA 11, 141, 22; vgl. 40/3, 496, 3 f.).
Zum „Ackermann aus Böhmen" vgl. *Walter Rehm*, Der Todesgedanke in der deutschen Dichtung, Darmstadt 1967² (=Halle 1927), S. 115 ff.
Martin Luther, nach Hos. 13, 14, Osterpredigt 1524 (WA 15, 518, 26 f.), Auslegung von Gal. 2,19 (WA 40/1, 267, 1), Gal. 3,13 (WA 40/1, 440, 13).

VI.2
Karl Barth, Kirchliche Dogmatik III 2, Zollikon 1959², S. 770 f.

VI.3
Vgl. zur „Lektion" der Totentänze *W. Fuchs*, a. a. O. (s. II. 2), S. 59 f., dort auch Literatur.

VI.4
Walter Jens, in: Angst und Hoffnung in unserer Zeit, Darmstädter Gespräch 1963, hrsg. von Karl Schlechta, Darmstadt 1965, S. 165 (vgl. auch Thure von Uexküll, ebenda, S. 17 f.).
Zum Ganzen vgl. *Klaus Schwarzwäller*, Die Angst — Gegebenheit und Aufgabe, Theologische Studien 102, Zürich 1970.
Martin Luther, Confitemini, Ps. 118,17 (WA 31/1, 149,13—150,6).
W. Fuchs, a. a. O. (s. II. 2), S. 72.
Arthur Jores, Lebensangst und Todesangst, in: Die Angst, Studien aus dem C. G. Jung-Institut, Zürich 1959, S. 181.

BIBLIOTHEK
THEMEN DER THEOLOGIE
KREUZ VERLAG

Herausgegeben von Hans Jürgen Schultz

Jeder Band ca. 176 Seiten, Ppbd. mit Rückenschild, farbigem Bütten-Überzugspapier und mehrfarbigem Schutzumschlag DM 14,80

Die Autoren und ihre Themen

Herbert Braun	Jesus
Wolf-Dieter Marsch	Zukunft
Hans Schmidt	Frieden
Ulrich Wilckens	Auferstehung
Gert Otto	Vernunft
Walter Bernet	Gebet
Hans Walter Wolff	Bibel — Das Alte Testament
Eberhard Jüngel	Tod
Günther Bornkamm	Bibel — Das Neue Testament
Claus Westermann	Schöpfung
Jürgen Moltmann	Mensch
Heinrich Ott	Gott
Hans-Dieter Bastian	Kommunikation
Dietrich von Oppen	Moral

Der große Erfolg dieser Buchreihe hat den Verlag veranlaßt, einige Ergänzungsbände in seine Planung aufzunehmen. Diese Bände werden sich in Umfang und Preis von von den bisherigen unterscheiden. Die Subskribenten der Bibliothek Themen der Theologie können jedoch diese Ergänzungsbände zu einem Sonderpreis, der 10 % unter dem Ladenpreis des jeweiligen Einzelbandes liegen wird, erwerben. Für 1973 sind zunächst vorgesehen:

Ernst Lange: Kirche	Dorothee Sölle: Leiden

Weitere Ergänzungsbände befinden sich in der Planung.